冒険の書

孫泰蔵

日経BP

真の発見の旅とは、
新しい景色を探すことではない。
新しい目で見ることなのだ。

マルセル・プルースト
『失われた時を求めて』（1913-27）

"The real voyage of discovery consist
not in seeking new landscapes,
but in having new eyes."

はじめに

僕はこれまで起業家として、たくさん新しいことにチャレンジしてきました。そして、たくさん失敗してきました。多くのお金や信用を失ったとても苦い経験もあります。あの時ああすればよかったのか、なぜこの時こうしなかったのかと後悔し、自分には才能がない、能力がないと自己嫌悪におちいったりもしました。

それでも新しいことを思いついてしまうと、どうしてもやらずにはいられない自分がいます。こりずに何度も何度も失敗を繰り返しているうちに、たまに成功することがあり、それを人は「すごい才能だ」「とても優秀だ」と評価してくれます。それでよく「成功の秘訣は？」と聞かれるのですが、「それは僕が教えてほしいです」としか言えません。これは決して謙遜(けんそん)ではなく、「成功するにはどういった能力が必要か？」と聞かれても、どうにも答えられないのです。

成功するのに必要な「能力」ってなんなのだろう？

そもそも「能力」っていったいなんだ？

学校の教育についても同様です。僕は世界中の人工知能（ＡＩ）を開発している会社にたくさん関わっていますが、人工知能のパワー、その発達のスピードには目をみはるばかりです。その一方で、「このままだと、なんかマズイんじゃないか？」という不安も感じます。最先端の人工知能にふれればふれるほど、学校で行われている教育の内容がその意味をどんどん失いつつあると感じるからです。

時代はこんなにも変わっているのに、学校の教育は、僕が受けた40年くらい前と内容もスタイルもほとんど変わっていません。当時の僕でさえ「こんなつまんない勉強して、いったいなんの意味があるんだろう?」と思っていたので、今の子どもたちがそう思うのはなおさらでしょう。

学びって本来はすごく楽しいことのはずなのに、どうして学校の勉強はつまらないのだろう? 人生は本来すごくワクワクするもののはずなのに、どうしていつも不安を感じながら生きていかなければならないのだろう?

そんな疑問で頭がいっぱいになりました。そこで、この疑問の答えを求めて、行くあてもなく探究の旅に出ました。旅に出てみてわかったことは、僕の前にもたくさんの旅人たちが刺激に満ちた旅をしていたことです。時に彼らの旅を追体験(ついたいけん)してみたり、ちょっと寄り道してみたりして、僕自身その旅を大いに楽しみました。

この本に書かれているのは、その旅路の記録です。結論よりも、僕がどんな問いを立てたのか、どんな探究をしたのか、というプロセスそのものを詳しく書くことを意識しました。なぜなら、同じように疑問を持った人たちの旅の参考に少しでもなればと思ったからです。

ということで、僕が大いに影響を受けたり、インスピレーションを与えてくれた人たちの考えをなるだけ多く紹介しています。ちょっと読みにくいかもしれませんが、彼らが人生をかけて考え抜いたことは、じっくり味わいながら読むだけの価値があります。原典を巻末にまとめてありますので、それらを読むだけでも、ちょっとしたブックガイドとして楽しめるのではないかと思います。

僕の旅はともかく、彼らの探究の旅はとっても刺激的でおもしろいので、少しでも興味を持ったら彼らの本を読み、友だちと対話をしたりしながら、一緒に旅に出てみてはと思います。

それでは、よい旅を！

本編に入る前に、ひとつだけ申し上げておきたいことがあります。もし「ああ、自分もそう思ってたんだよね！」と思い、自分の考えを表現するのにちょうどいいところがあれば、いくらでも引用して使ってかまいません。僕の許可を得る必要はありません。

なぜなら、僕のこの文章も誰かのものをどこかから私淑（ししゅく）（＝直接に教えは受けていないけど、ひそかにその人を師と尊敬し、模範として学ぶこと）してきたものばかりだからです。もちろん、現代の著作権法の考え方をクリアするために、うまく自分の言葉に書きかえてはいますが、だからといって自分のオリジナルの論だと言う気はさらさらありません。大事なのは、考えや情報が共有されることなのですから。

孫泰蔵

第4章

EXPLORE

探究しよう

好きなことだけしてなぜいけないの？

第5章 UNLEARN

学びほぐそう

じゃあ、これから
どうすればいいの？

本文中の書籍の年号は原本の発行年です。

君へ

この本は、タイトルにあるとおり、冒険者のための本だ。

冒険とは「危険を承知で、成功するかどうかわからないことをあえてやってみること」と辞書にあるけれど、父さんはこの本を、君がそういう人生の冒険に実際に出た後に読んでほしくて書いた。

だから、最初にあえて言っておくけれども、もし君がまだ冒険に出ていないのなら、どうかこの本は読まないでほしいんだ。

なぜなら、この本は実際に冒険に出て、本当に実感がわいた時にしか伝わらないことを書いたから。それを事前に知って頭でわかった気になってしまうと、実際の旅の時に見逃してはいけない、とても大事なことをみすみす見すごしてしまうかもしれないからなんだ。

そもそもこの本を書こうと思ったのは、君はもう覚えていないだろうけど、君が小学生の頃のある朝、僕に放ったひと言がきっかけだった。ゲームに夢中になっていた君に、遅刻すると面倒だと思った僕が「早く学校に行くよ！」と急かしたところ、君は「もっと遊びたいよ！」と学校に行くのを渋り、僕をじっと見つめ、泣きながらこう問うてきた。

「ねえ、なんで学校に行かなきゃいけないの？」

そこで僕は思わず黙りこんでしまった。そうたずねられてうまく答えられない自分に気がついてしまったんだ。

自分も子どもの頃、こういうシンプルな問いをたくさん持っていたように思う。それがいつしか、まわりの「あたりまえ」によって消えていった。

消える前には少なからず葛藤（かっとう）があったはずだけど、いつしかそれも忘れてしまうものなのかもしれない。

君が学校に行きたがらなかった理由、それは明らかにそのゲームのほうが楽しかったからだよね。そもそも、なぜ学校の勉強はあんまり楽しくないのだろうね。

大人たちはこう言う。

「勉強しないであとあと苦労するのは本人であり、それを見すごすわけにはいかない。勉強をしなかったせいで人生の選択肢が狭まるようなことがあったら、みじめな気持ちになるだろう。だからこそ、今は心を鬼にして学力をつけさせなければならない」

そして、君自身もこう思っているかもしれない。

「自分はまだ学生だから、ガマンして勉強して、いつか自由を勝ちとるんだ」

その気持ちはよくわかるよ。なぜなら、自分もそういう人間だったからね。僕も「いい大学に入りさえすれば、人生の選択肢が増える。自由になれる」と信じていた。

だから、勉強する意味を「試験に合格すること」にしか見いだせなかった僕の受験勉強は苦痛の極みだった。ノイローゼ一歩手前まで追いつめられた僕は、大学生をうらやみ、社会をうらみ、おのれの運命を呪(のろ)った。

あれから30年近くがたったけれど、当時の自分をふり返るたびに「本当にあれでよかったのだろうか?」と心にひっかかるものがある。

「なにかを新しく知ることは、本来すごく楽しくて、心がときめくことなんじゃないのか?」

そんな素朴な疑念がどうしても晴れないからなんだ。なのになぜ、あんなに苦しかったのか。そしてその苦しみの先に、果たして「自由」はあったのか。

そもそも、なぜ子どもは学校に行かなければならないのだろう。

なぜがんばって勉強をしないといけないのだろう。

なぜ好きなことをしたまま大人になれないのか。

そんな疑問がたくさん浮かんできて、いてもたってもいられなくなった僕は、自分なりの答えを求めて、探究の旅に出ることにした。

その旅を経て思うのは、もし僕が今、君のように生徒だったら、学校には行かないだろうということ。そのかわり、自分が今好きでやりたいことをとことんやるだろうね。

それは、学校がくだらないとか、学校に行く意味がないとか、そういうことではなく、今どうしてもやりたい、今しかない、と思うことに専念するだろうということ。

なぜなら、自分がやりたいと思うことがいつでもできるのと同じように、勉強だってやりたくなった時にいつでもできるからだよ。

「今学力をつけないと大人になってから苦労する」なんていうのは、世界を変える気がない大人の戯言（たわごと）にすぎない。

やりたいことがあるのに、なぜガマンをする必要がある？

好きなことがあるなら、なぜそれだけを一日中やれるように環境を変えない？

それが自分を変える、つまり、世界を変えるってことだろう？

「それはお父さんが大人だから、一回経験してるから、そう思えるんじゃないの？」と君は思うかもしれない。だが、僕は「そうじゃない」と言いきれる。なぜなら、僕も少し前に、君の「学校」にあたるものをことごとくやめて、冒険に出かけたからだ。

年齢や立場、世の中の常識など、「大人」と呼ばれる人たちの言うことに縛られることなく、自分の感覚を信じて冒険に出ると決め、「危険を承知で、成功するかどうかわからないこと」をあえてやってみたんだ。

やりたくもないことを、自分をだまして続けることはできない。「そんなことやってる場合じゃない」と思ったんだ。

つまり、なにかを始めたり学んだりするのに、年齢や時期は関係ないってこと。何歳からでも、いつでも、今すぐにでも、自分を変えて行動することはできる。

僕はこの生命がつづく限り、本気で世界を変えるために冒険を続ける。そんな父さんが、君が実際に冒険に出ると決断し、大いなる一歩を踏み出した時のために、もう二度と会えないかもしれないと本気で魂を込めてこの本を書いた。

君は君、僕は僕だ。君を僕の型に入れようというような気持ちはみじんもない。君は君の持っているものを、わずらわされることなく発揮すればそれでいい。

不安と興奮とで眠れなくなるほどのことを決意して、先の見えない道なき道を進む。「やっぱりやめようかな」と迷うこともあるだろう。正直、「怖い」と思うかもしれない。恐怖を乗り越え、勇気を出して自分の道を切りひらく決断をしたなら、ぜひこの本を読んでほしい。

もし、今まさにそういう状況にいるのなら、ぜひ手にとって今すぐ読み進めるといい。ここには父さんが旅をして知り得た、世界の秘密の一端が書いてあるから。

父より

第 1 章

解き放とう

UNLEASH

学校ってなんだ？

なぜ学校の勉強はつまらないのだろう。
そういう素朴な問いから
僕は冒険を始めた。

どうして
つまらなくなってしまったのか？
なにが原因なのか？

そう問われると、
なかなか答えることができない。
それを探る過程で、
僕を大いなる冒険へと
踏み出させてくれる人に出会った。

ある冒険者のお告げ

誰もが皆、一度や二度といわず、「あーあ、学校に行きたくないなあ……」と思ったことがあるはずです。試験前、苦手な科目の授業の前、嫌な子に会いたくない……など理由は様々にせよ、共通しているのは、嫌なこと、やりたくないことがあるのにそれをしなければならないからでしょう。

とはいえ、行きたくないから行かないというわけにはいきません。「学校に行かないと言うと、親や友人に心配や迷惑をかけてしまうんじゃないか?」という恐怖がそれ以上考えることを許してくれません。それどころか、「辛いからというだけで学校に行けない自分はただ甘えてるだけなんじゃないか?」とか、「同情してくれる人から向けられる親切心につけこもうとしているのではないか?」という罪悪感と自己嫌悪で自分を責めてしまう人もいるでしょう。

こういう社会なんだから学校に行くしかない。行きたくないというのは自分のわがままでしかない。そのように思って、あきらめているのではないでしょうか。

はたして、ガマンして行くしかないのか。

それとも、苦しみながらでも抵抗するしかないのか。

僕はこのことについてこれまでずっと考え続けましたが、なかなか答えが出ませんでした。しかし、ある日ふと思いついたのです。これは、まったく違う視点から考え直したほうがいいんじゃないかと。そこから生まれたのが、「もしなんにも制約がなかったら、どんなふうに学べるのがいちばんいいか？」という発想でした。そして、この問いに対する僕の答えは明らかでした。


ひとつの学校に縛られるのではなく、いろんな学校で好きなように学べたらいいんじゃないか。それも学校単位じゃなくて、あの先生のこのクラス、この内容、という細かい単位で選べたほうがいいんじゃないか。もっと言うなら、学びたいものや人がいちばん集まっている最前線の「現場」や、探究者がいちばん集まっている「本場」で学べたほうがいいに決まってる。そう思うのです。

環境問題について学ぶのなら、汚染地域やごみ処理場などに行ったほうがいいだろうし、農林水産や食を学びたければ田んぼや畑、山や川や海、港、レストランなどがいい。サイエンスやテクノロジーを学びたければ研究所や工場などに行ったほうがいいし、芸術や工芸を学びたければ美術館やアトリエ、工房などにおもむいたほうがいいに決まってる。また、学びの形もひとつである必要もまったくない。

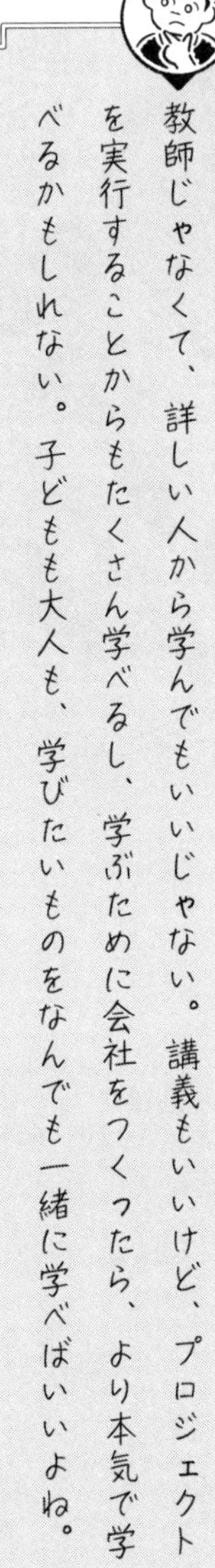

どう考えてもこっちのほうが、学びのバラエティも楽しさも、今よりうんといいに決まっています。しかし、これまでの教育システムでは、そういう「つまみ食い」みたいなことはダメだということになっています。大学では好きな講義や研究を選べるのに、なんで小学校や中学校ではそれさえも認められないのだろう。そもそも興味のないこと、好きでもないことを無理やりやらされたって身にならないどころか、嫌いになるだけでしかないのに、なぜ興味のないことを学ばないといけないのだろう。僕はいつも、この「あたりまえの教育システム」に疑問を感じています。

実は、「つまみ食い」がダメだとされている理由は明らかで、教育を提供する側である学校の運営の効率が悪くてたいへんだからです。つまり、「そんなことしろと言われたらめんどうで困る」から、そうさせないのです。

そして、この状況に疑問を感じる人は、実はほとんどいません。「教育や学びというのは、こういうもんだ」と思考が止まってしまっているからです。「めんどうだ」と考えるのは、「みんなに同じ教育を、同じ形で提供するのがいちばん効率的だし、やりやすい」と思い込んでい

るから。やりもしないうちから「そんなことはできない」って思い込んでいるだけなのです。

僕は、教育の本当の問題は、私たちが「教育サービスのお客さん」になっていることにあると思います。ほとんどの親が「どの学校に入れようか?」「どの塾や家庭教師で学ばせようか?」としか考えていませんし、子どもたちも「どんな学歴だといいのか?」ということにとらわれて、それ以外の選択肢があることに気がついていません。

そもそも僕がこのようなことに関心を持つようになったのは、ダイヤ・アイダ(会田大也)という友人のおかげでした。彼は美術館をつかって自由な学びの環境をつくる「ミュージアム・エデュケーター」という仕事をしています。職業柄アートや哲学などに明るい彼は、「この本、おもしろいよ」と鋭くてユニークな視点を持つ先人たちを折にふれて紹介してくれる、僕にとって大切な存在です。ある日、そんな彼と久しぶりに再会しました。「実は今こんなことを探り始めたんだけどね……」。僕は今持っている疑問や、そこから生まれたさらなる問いなどを彼に打ち明けました。

「答えがわかるまでとことん探究するつもりなんだ。でも、こんなことを考えるのは初めてで、いったいどこから手をつけていいのかもさっぱりわからないのだけれど、どうしたらいいと思う？」

やや興奮気味にそうたずねると、それまでじっと聞いていた彼は柔らかなまなざしを僕に向け、こう言いました。

「そうか、ついに泰蔵さんも冒険者になったんですね」

「冒険者」……。予期せぬ言葉にとまどう僕に、彼は一冊の本を差しだしました。

「冒険者には、他の冒険者の声が聞こえます。そして、冒険を強く決意した人だけが『冒険の書』と呼ばれる本を読むことができます。『冒険の書』は世界中に散らばっていますが、冒険をしていない人にはただの本でしかありません。この本はきっと、泰蔵さんの重要な導きとなってくれるはずですよ」

ぽかんとする僕を尻目に、彼はそう言って立ち去りました。

なんかいつものダイヤとちがう。

ともあれ、帰宅した僕は、彼に渡された本をカバンから取り出しました。表紙には『世界図絵』（１６５８）と書かれています。著者はヨハン・アモス・コメニウス。今から約４００年前のボヘミアの歴史学者で、「近代教育学の父」といわれる人のようです。

「『冒険の書』とかって言ってたけど、これがそうなのか……？」その時でした。白い光がゆらゆらとあたりを包み始め、僕はだんだんもうろうとしてきました。黒い人影と見たことのない風景がすごい勢いで交錯（こうさく）した後、一筋の鋭い閃光（せんこう）がほとばしり、その光で目がくらみました。

◆

　気がつくと、目の前にはゴシック調の高い塔がそびえるお城が見えます。あたりは多くの人で騒然としています。誰かが大きな声で叫び、城の上のほうにある窓を指差しました。目線を向けると、窓から綺麗（きれい）な身なりをした人が次々に落とされています。

「うわああ！　なんてことをするんだ!!」

　僕は思わず叫びました。怖くなって逃げ出そうと思った次の瞬間、背後でうめくような声が聞こえてきました。後ろをふりかえると、そこには、悲痛な面持ちで嘆きの言葉をつぶやく老人が立っていました。あたりは薄暗いうえに、眉間（みけん）にしわを寄せうつむいているため、顔はよく見えません。巻き髪の長髪と立派なひげをたくわえているのが、かろうじて確かめられます。

　僕が呆然（ぼうぜん）とその老人を見つめていると、目があった彼は、少し驚いたような面持ちでこちらに向かって話しかけてきました。

「わしの声が聞こえるのか？　新しい冒険者じゃな？」

僕の口はカラカラに乾いています。でも、なんとか声は出そうです。

「あの、冒険者かどうかわかりませんが、友人に探究を始めたと言ったらこの本を渡されたのです……」

僕がそう言おうとすると、さえぎるように彼は言葉を続けました。

「窓から投げ落とされとるのは、神聖ローマ皇帝に仕えるカトリック教徒。落としているのは、圧政に反抗するプロテスタントの人々じゃ。後に『プラハ窓外放出事件』と呼ばれ、あの忌まわしい三十年戦争の引き金になったのじゃよ」

これがあの「最後にして最大の宗教戦争」、そして人類史上最も悲惨な戦争のひとつといわれる三十年戦争の始まりだったのか……。

彼は大きな瞳でしばらくその出来事を見つめた後、奥の方を指差しました。

「見たまえ」

彼がそう言うと、あたり一面に映画のように様々な場面が映り始めました。いろんな旗を掲げた人々が互いに争い、生命を奪い合う姿が繰り返し繰り返し映し出されていきます。

「見てのとおり、人間は絶えず争ってきた。ある時は信じるもののちがいのために。ある時は肌の色のちがいや、言葉のちがいのために。その結果、私の生きたこの時代のヨーロッパは、争いの絶えない、混乱の時代だったんじゃ」

そして、彼は低い声でこうつぶやきました。

「教育なくして人間は人間になることはできない」

僕は、目の前で繰り広げられる無残な光景に押しつぶされそうになりました。ここまで混乱した状況で、彼がとりわけ教育に注目したのはなぜなんだろう。

彼はじっとこちらを見つめ、少し考えるような素振りを見せた後、静かに語りだしました。

「世界を正しく認識したうえで、正しく語り、行動することができる人間こそ、社会の混乱に終止符を打ち、新たな社会を創造しうる実行者たりうる。世の中から悲しい争いをなくすためには、あるべき世界を伝えることによって人間を人間らしくする以外に道はない。そうじゃろう?」

たしかに、世界を知らずに行動しても、それは新たな混乱を生み出すだけかもしれない。だから、彼はすべての人に世界のあらゆることを教え、立派な人間に育てなければならないと考えたのか……。彼は黙ったまま、移ろいゆく光景をながめています。彼に同意したい気持ちでいっぱいでしたが、それでも僕にはもう一つ、彼に聞かずにはいられないことがありました。それは、すべての人にあらゆることを教えて立派な人間に育てるなんて、そんなこと本当にできるのか? という疑問です。

彼は僕を見つめた後、神に祈りを捧げるように天を仰ぎながらこう言いました。

「きっとできる。わしはそう信じておるのだ……」

けわしい表情の中に、やさしいまなざしをたたえているのがわかります。

「人間とは、この『大宇宙(Macrocosmos)』があまねくひろげて見せるものを、ことごとくその内に秘めた『宇宙の縮図(Universali Epistome)』なんじゃからな。人間はこの宇宙のすべてを

ヨハン・アモス・コメニウス
Johann Amos Comenius
（1592-1670）

その内側に持っている。だから、我々はそれをすべて知るべきだし、それを知ることは可能なはずなのじゃ」

彼はゆっくりと話し続けました。

「だからわしは、子どもたちがこの世界を知る手始めとして、絵で自然や文化についてわかりやすく描いたこの本を書いたのじゃ。学びのきっかけとなる本は、ただ情報を並べたてるだけではダメじゃ。それよりも、まったく実用的で、まったく愉快なもの、すなわち、我々の生涯の心地よい前奏曲にふさわしいものであるべきだとわしは思うのじゃよ」

絵本とか教科書って、もとはそんな壮大な考えにもとづいてつくられたのか……。コメニウス先生は偉大な思想家であると同時にすごいクリエイターでもあったんだなあ……。でもなんでコメニウス先生はこういうものをつくろうと思ったんだろう。

「わしはかつて、カトリック教を強制するのに反対するモラヴィア教会のリーダーじゃった。そのせいもあって、三十年戦争で祖国を追われ、その後、二度と故郷の地を踏めなくなってしもうた。それだけでなく、あの戦争で妻、そして子さえも失ってしまったのだよ……」

なにか声をかけたかったのですが、言葉が見つかりませんでした。

「わしは絶望した。そして、その絶望の底で考え続けたんじゃ。どうすればこの混沌(こんとん)とした悲しい時代に終止符を打てるのかを。そして見いだした。人類の破滅を救うには青少年を正しく教育するより他にない、とな。だから、わしはその希望を教育に託したのじゃ」

そうだったのか……。三十年戦争が終わった後、ボヘミアとモラヴィアの人口は300万人から90万に激減したといわれているけれど、そんな世の中ならそう考えるのも無理もない。

「わしはやるべきことをやった。それが後にどうなるのかは見当もつかないが、君のような冒険者が時折訪れてくること自体が、良い方向に向かっている証拠じゃと信じておるよ」

そう言うと、彼はすうっと消えていきました。

コメニウス先生はものすごい決意で絵本や教科書、百科事典のルーツとなった『世界図絵』（1658）をつくったんだなあ……。その発明が後世に与えた影響はすごいけど、その想いが強すぎたせいで、教育が後で少し強制的になってしまったのかもしれないなあ。そんな気もしてきて、僕は複雑な心境になりました。気がつくと、僕は自分のデスクの前に座っていました。

◆

「すべての人に世界のあらゆることを教えたい」というコメニウス先生の想いはわかります。しかし、時代は変わり、社会の状況も当時とはだいぶ変わってしまいました。はたして彼の考え方がこれからもフィットし続けるものなのか。

これからの教育を考える時には、現在の教育のいちばん最初のルーツであるこのコメニウス先生の思想にまでさかのぼって考えなおすべきなのではないかと思います。「あらゆる人にあらゆることを教えて人間らしくする」という大前提に疑問を持ち、そこから「教育とはなにか」を考えていく必要があると思うのです。

『世界図絵』と著者のコメニウス

「社会を変えるには教育を変えるしかない」
「すべての人に世界のあらゆることを教え、
立派な人間に育てる」
コメニウス先生のこのご宣託が、
現代につながる教育のルーツだった。

そして、その宣託を忠実に守っているのが学校だ。
しかし今、学校の存在が
様々な問題を生み出す原因にもなっている。
学校はこのままでいいのか？
それとも変えるべきなのか？
そもそも学校ってなんだ？

そこで僕は、学校とはなにかを
探るところから旅を始めることにした。

300年つづく呪文

興味のないこと、好きでもないことを無理やりやらされたって身にならない。それどころか、それを嫌いになるだけで逆効果でしかない。

にもかかわらず、なぜ私たちはこれまで、たとえば宿題のような、やりたくもない勉強をしてきたのか。やりたくなければやらなければいいのに、自分からそれを受け入れてきたのはなぜなのか。

このような問いについて考えていた矢先、有名な大学の学長のインタビューに出合いました。「これからの時代を生き抜くためになにを身につけるべきですか?」という質問に対して、彼は次のように答えていました。

「これまでのように誰かから教えてもらい、それを覚えるという学びのスタイルではダメ。自分で学びたいことを選び、自ら学ぶ。教えられたことをひたすらに覚えることが得意だった人たちは、これから人工知能にとってかわられてしまう。それなのに、学校はなかなか変わらない。そういう教育を受けた子どもたちが、10年後、20年後に直面する厳しい現実を想像すると本当に恐ろしくなる。21世紀は答えのない世界。だから『教える』という概念もなくなる」

それをうけて、記者は「人工知能をつかいこなすためにはどんな能力を身につける必要がありますか?」と質問しました。すると、今度はこのように答えていました。

「リーダーシップ。これは決して人工知能では置き換えられない能力であり、世界のどこに行っても通用する能力だ。それと、自分の頭の中にある構想、思い描いた世界を『見える化』すること。つまりシステム設計とプログラミングの基礎だ」

このインタビューに、僕は違和感を持ちました。インタビューは終始、「これからの時代に生き残れる人は?」「生き残るためにどんな能力を身につける必要があるか?」というような質問ばかりだったのです。

この記者の質問の背景には、「能力を身につけないと生き残れない」という考えがありますが、僕はこの考え方こそが世界をダメにしていると思います。

義務感で学んだところで自分の身になるわけはないし、まんべんなくプログラミングなどを学んでも、実際のところつぶしなんてまったくききません。

メディアでは「生き残りをかけたサバイバル」とか、「勝ち組、負け組」、「勝者がすべてを手に入れる（"The winner takes it all."）」のような言葉がおどっています。大人たちは「社会は弱肉強食の生存競争であり、勝ち抜かなければ生き残れない」と、いかにも当然のように言います。

社会って本当にそうじゃないと生き残れないのかなあ。仮にそうだとしても、なぜ、いつ頃から僕たちはそう思うようになったのかな。

いろいろと探ってみたところ、人々がそう考えるようになったルーツには、イギリスの哲学者トマス・ホッブズの考えがあることをつきとめました。

◆

いつものデスクの横にあるソファに座って、さっそく『ホッブズ 市民論』（1642）を開きました。その瞬間、ソファのまわりが白い光に包まれ、一瞬の閃光（せんこう）に目がくらんだ僕は、思わずうずくまってしまいました。

湿った空気が肌に触れた気がして顔をあげると、僕はベンチに座っていました。目の前に広がるのは、古いヨーロッパの朝の街並みのようです。どんよりとした空の下に古びた教会が見えます。隣では、僕より少し年上に見える男性がなにやら板の上に紙を置いて書き物をしていました。僕に気がついた彼は、薄茶色の目を細めてひとしきりこちらを見た後、再び視線を手元に落として書き物を続けながら言いました。

「新しい冒険者よ！　どうだね、イングランドの素晴らしい天気は？」

大きな身体にふさわしい快活で野太い声。そして、イングランド人らしい冗談。広い額に赤毛の巻き上がったもみあげはまちがいなくホッブズさんその人です。パッと見は怖そうですが、どこか親しみやすさを感じる話しぶりでした。「新しい冒険者」って言ってたけど、前にも誰か来たのかな。

彼は引き続き紙に目を落としたまま、今度は真剣な口調で言いました。

「なあ、冒険者よ。君は知っているか？今やヨーロッパは内戦の渦なんだ。宗教だって人間の生存を保障してくれやしない。まったく人間とは恐ろしいものだ」

コメニウス先生も言ってたあの三十年戦争のことか……。人間が恐ろしいって、どういうことだろう。

「人間がまず欲するのは名誉や利益だ。だから、放っておくと人間は自分の利益のために互いに争い続ける。人は人に対して狼（おおかみ）となるのだよ」

彼の声は、次第に熱を帯びていきます。

トマス・ホッブズ Thomas Hobbes
（1588-1679）

「社会は我々の仲間への愛のためではなく、我々自身の愛のために結ばれるんだ。つまり、自然状態では社会は全員が敵同士の『万人の万人に対する戦い』になってしまうのだよ。では、ここで君に聞こう。世界に平和をもたらすものはなんだと思うかね？」

「コメニウス先生は教育だと言っていいましたが……」そう言いかけた僕に、彼は著書『リヴァイアサン』（１６５１）を開いてこう語り始めました。

「それは、私が『リヴァイアサン』と呼んでいる国家の存在だよ。一人ひとりの持つ力を一か所に集めて『権力（common power）』をつくり、万人の万人に対する戦いを抑えるのだ。平和と秩序を守るにはこれしかない。私はそれを科学的に設計し、証明することはできないかをずっと考えているのだ」

かっと見開いたその眼は、燃えるような赤い炎をたたえていました。次の瞬間、教会の鐘が街中に鳴り響きました。その音があまりに大きくて、僕は思わず前かがみになって耳をふさぎました。しばらくして、おそるおそる目を開けると、僕は自分の部屋のソファに身を沈めていました。

◆

平和はかんたんに得られるものではない。だから、我々はもっとリアリストにならないといけない。その想いから、ホッブズさんは社会を「万人の万人に対する戦い」と表現しました。でも僕は、人間の本質はそんな利己的なものではないと信じています。ホッブズさんの「世界は競争を軸に回っている」というのは、ひとつの見方にすぎません。しかし実証も反証もできないがゆえに、18世紀頃から多くの人に受け入れられ、それ以来、300年近くにわたって私たちを縛ってきました。

ここで僕はハッキリ言いたいと思います。現実の世界はもはやホッブズ的な世界ではありません。「もともと人間は自分のことしか考えない動物だ」という見方も違うと思います。私たちがそう見るから、現実がそうなってしまうのです。

私たちの心の中から追い出さなければならないものは、私たちの心の中に巣食う、この「生存競争を勝ち抜かなければならない」という強迫観念なのです。私たちは今こそこの呪いから

逃れ、まったくちがう見方をするべきだと思います。

「いや、自分には強迫観念なんてない」「うちの親はそんなふうには思ってないと思う」。そう言う人がいたとしても、僕はそれを簡単にはみとめません。もし本当にそうだと言うのなら、僕はその人に聞きたいことがあります。

だったら、なぜ受験したり、塾に行ったりするの？なぜ検定を受けたり、資格をとろうとしたりするの？なぜあなたの親は、あなたを塾に行かせたりするの？

きっとうまく答えられないでしょう。それが「あたりまえ」だと思ってい

自分でつくるディストピアの

るから。そして、この「あたりまえ」の根っこには不安や強迫観念があるのです。

強迫観念でいっぱいの社会では、人々の心は荒れ果て、ヒステリックになります。それは「ディストピア（dystopia＝ユートピアの反対）」といってもいいでしょう。

私たちは、ただなんとなく世の中の流れにしたがうことで、自分自身がディストピアをつくり上げる一員になってしまうことを自覚するべきです。逆に言えば、みんなが少しずつでも自分の頭で考え続ければ、すなわち、「思考停止」をやめれば、世界はガラリと変わるはず。常識に縛られ、不安にかられ、自分の本当の気持ちを抑え込んで生きるのをやめさえすれば、本当はみんな楽しく生きていけるはずです。

もともと利己的である人間は、放っておくと
自分の利益のために争い続けるものだ。

そう直感したホッブズさんは、
自分は「恐怖との双生児」であり、
「母は恐怖と一緒に自分を産んだ」と記した。

彼の呪文は300年たった今も生きている。
その影響を最も受けているもののひとつが学校だ。
そして、その学校にはとんでもない秘密が隠されていた。

パノプティコンの憂鬱（ゆううつ）

学びとは本来、「学びたいから学ぶ」という、自らすすんでする行為なはず。それなのに、学校は学びを「教わる」という受け身のものに変え、子どもたちを「教育サービスの消費者」に仕立て上げてしまいました。

特に義務教育は、「みんな公平に教育をしなければならない」という平等主義が悪い意味でいきわたっており、堅苦しくて融通がきかないものになりがちです。そして、子どもたちを教師の監視と指導の下において、学ぶ自由を奪っています。

教師だって、本当はそんなことは決して望んでいないはず。なのに、どうしてそうなってしまったのだろう……。

この疑問を探るため、僕は手あたりしだいにいろいろな人をたずねてまわりました。なかなかうまく探りあてられず、かなり難航したのですが、ついにそのヒントを示していた人たちに出会うことができました。フランスの哲学者ミシェル・フーコーとオーストリアの哲学者イヴァン・イリイチです。

僕はまず、フーコーの本を開きました。彼は『監獄(かんごく)の誕生〈新装版〉』(1975)の中で、衝撃的な事実を明らかにしていました。彼によると、教育や医療のような公共サービスによく見られる管理システムのルーツは「パノプティコン(panopticon)」にあるというのです。

パノプティコンとは、19世紀のイギリスの法学者ジェレミー・ベンサムが発明した丸い形をした刑務所で、「あまねく(pan)」「見る(optic)」というギリシャ語から名前をつけたと言われています。

◆

フーコーの本を中盤あたりまで読み進めた時でした。再びあの強い閃光(せんこう)にのまれて、僕の目の前は真っ白になりました。

次に僕が見たものは、立ちはだかる鉄の柵でした。なんだ、これは？　あわててふりむくと、建物の内側から外側までぶっとおしになっていて、そこにはやはり同じような鉄の柵がはめこまれ、外の高い塀だけが見えます。ひどくせまい部屋。たいへんだ、ここは監獄じゃないか！

パノプティコン式の刑務所

Photo by Underwood Archives/Getty Images

うわああ！　と声を出したい衝動にかられましたが、見つかったらヤバいととっさに息をのみました。まさか、これがあのパノプティコン⁉

おそるおそるあたりを見まわすと、それはドーム屋根の大きな円形の建物でした。ドームの中心には、大きな窓が開けられた塔が立っていました。監視塔でしょうか。しかし、こちらからはちょうど逆光になっていて、そこに誰かいるのかまったくわかりません。

僕がいる独房には窓が2つ。ひとつは内側に開かれて塔の窓と向き合い、もうひとつは外側に面していて、独房の隅々まで光が入ってきます。建物の中には、監視塔を中心に同じような独房がずらっとらせん状に並び、それぞれの独房に入れられた囚人たちのシルエットが光の中にくっきりと浮き上がって見えます。

　ともかくここから逃げよう。僕はそう思い、外側の柵を調べようとして、ハッとしました。僕の姿は塔の監守からすっかり丸見えなのです。なにかをするなら、彼らが見ていない隙（すき）をねらわなければなりません。しかし、こちらからは彼らがまったく見えず、隙を見つけることすらできないのです。

　ああ、これはまったくお手上げじゃないか！　いまや僕は、一方的に見られるだけの存在でした。まるで得体のしれないストーカーに常に見張られているかのような不気味さに、僕は身の毛がよだつほどゾッとしました。

　その時でした。背後に人の気配を感じてふり返ると、そこには腕を組み、眼鏡の奥に鋭い光をたたえた人物が立っていました。ミシェル・フーコーさんでした。

「そう、これがパノプティコンだ。この刑務所は、囚人たちに『自分は常に監視されている』と思い込ませることによっておとなしく服従（ふくじゅう）させるしくみになっている」

　眼鏡を外してレンズをていねいに磨きながら、彼は僕に向かって話し始めました。その声は自信と力強さに満ちています。

「自らすすんで規律を守る人間、監守がいなくてもちゃんと命令に従う人間、すなわち『機械化された人間』をつくり出せるしくみなんだ。『最大多数の最大幸福を追求するべきだ』と唱えた、かのベンサムの発明だ。まったくよくできたしくみだよ」

　なかば感心した面持ちで、彼はこう続けました。

ミシェル・フーコー
Michel Foucault
（1926-1984）

「囚人を監視するのに最も効率がよく、最も安上がりで優秀な刑務所。それがパノプティコンだ。いいかい。学校もこれと同じだ。学校は、監視・賞罰・試験という3つのメカニズムの複合体だ。規律や訓練で子どもたちを秩序の中にはめ込み、生徒が自ら服従するよう、巧妙にできているのだよ」

僕はあっと驚き、言葉が出ませんでした。

「子どもの自主性を引き出そうという教育的な配慮は、実は規律や訓練に自ら服従する人間をつくり出す権力のメカニズムの一部であり、そのようにしてつくり出された権力が、人々の手から巧妙に自由を奪っていくのだ。人はすすんで自らを律する存在だが、それは同時に、自らの自由を手放し、今ある秩序に服従することでもあるのだよ」

なんということだ……。パノプティコンと学校、そして権力が結びついていたなんて……。そう思った時にはもう、僕は見慣れた部屋にいました。

◆

フーコーさんの言葉を思いかえして、僕はやるせない気持ちと同時に、「なんで学校がそんなものになってしまったんだろう……」という疑問がぬぐえませんでした。

その時です。ゆっくりとした口調の別の声が部屋に響きわたりました。

「学校がかくも悪しきものであるのは、それが技能訓練と人間形成を無理やり結合しているからなのです」

驚いてあたりを見回してみましたが、どこにも人影は見えません。しかし、その声はイヴァン・イリイチさんの『コンヴィヴィアリティのための道具』（1973）から発せられているに違いないことはわかりました。

僕はイリイチさんの本を手にとって読み始めました。彼の主張によれば、学校は次の3つの目的が合体した場所だといいます。

1　ちゃんと食べていける労働者になるための技能の訓練
2　社会の一員として規律を守る人間になるためのしつけ
3　良い人格を持つ立派な人間づくり

なので、たとえば、たまたまテストの成績が良かった、悪かったという話が、いつのまにか「成績が優秀な人のほうが、悪い人よりえらい」という上下関係になってしまったといいます。悪い成績をとった生徒が「学力が低い＝頭が悪い＝落ちこぼれ」とバカにされ、校則を破った生徒に「規律を守らない＝態度が悪い＝反抗的」と不良のレッテルを貼られ、それがきっかけで煙たがられたり、いじめられたりすることなどもあります。それらはまさに、学校がこの3つの目的が合体した場所だからこそ起きるのです。

そして、学校で生まれたこのような考え方が社会全体に広がった結果、「専門家のほうが素人（しろうと）よりもエライ」という常識ができあがってしまいました。人々は自分の頭で考えることをやめ、専門家がつくった制度にどっぷり依存するようになったと彼は指摘したのです。

いやこれ、思いあたることがいっぱいあるなあ……。新型コロナウイルス対策で「感染症の専門家の意見に従う」と言って自分たちではなにも考えない人とか、自分で考えて行動しようとする人に対して「素人のくせに勝手なことするな！」と非難する人とか……。

また、親や教育者の中には、規律を守ることを教えるのが大事だと強調する人がいます。「社会に出たらわがままは認められない。だから、社会に出る前に学校でそういう訓練を積んでおくことは大事だよ」。これは一見もっともなようですが、僕は絶対におかしいと思います。

子どもたちを今の社会に合わせられるようにするのではなくて、むしろ子どもたちが現状を変えていけるように、現状から解放されるような教育を行うべきだよ。

自分の想いを抑え込んで社会に合わせないといけないような、こんな心の狭い社会をつくったのは、他でもない僕も含めた大人たちです。変わるべきは私たち大人であって、子どもたちではないと思います。

権力が自動化されたシステム、パノプティコン。
これがフーコーさんが教えてくれた
学校の正体だった。

そこは、今ある秩序を支えるべく、
生徒に自ら服従するよう巧妙にできている。

はたして、いつからそうなっていったのか。
誰が、どんな意図をもって生み出したのか。

そのルーツをたどっていく中で、
一人の若きイノベーターと出会った。

再発明されるべき発明

ある日、僕が友人の家を訪れると、そこの家の6歳の子どもが宇宙に関するドキュメンタリー番組を観ていました。僕もちょうど関心が高かったこともあり、「お。いいのを観てるね！」と彼のとなりに座りました。彼が宇宙が大好きだというのは知っていたものの、「この番組は6歳の彼にはちょっと難しそうだな」と思いつつ、とにかく一緒に番組を観ることにしました。

その番組は、宇宙についてやさしく解説しながら最新の情報もおりまぜた内容で、僕の知らない最近の新しい発見、現在進行中のプロジェクトなどがたくさん紹介されていました。彼に「僕も同じことに興味があるんだよ。一緒に観られて楽しいね！」と伝えたくて、なにか新しいトピックが紹介されるたびに、ちょっと大げさに「うわ！　すごい！　マジ⁉」といちいち驚いていたら、彼はそれを見て「すごいでしょー！」と、さも自分がその事実の発見者であるかのようにドヤ顔をし始めました。

「へえー！　こんな発見があったの⁉　ぜんぜん知らなかった！　ねえ、知ってた⁉」と驚いて彼のほうをふり向くと、彼は僕に目もくれず、「うん、知ってるよ！」と鼻くそをほじっています。そんなやりとりが何度もくり返されたあげく、あまりにも驚いた僕はまじまじと彼を見てこう言いました。

「ねえ、なんでそんなに知ってんの⁉　さっきのあれ、いまいちよくわかんなかったんだけど、どういうこと⁉」

するとと、彼は「あのねー、それはねー、えっとねー……」とうれしそうに解説を始めました。彼はすでにこの番組を何度も観ているらしく、とてもていねいに僕に解説してくれました。「初心者」の僕に対して、なにを聞いてもめんどうくさがらずに何度でも教えてく

れる、彼のそういうところが僕は大好きです。そしてそれは彼に限らず、多くの子どもたちに共通する素敵なところです。

彼の解説はつたないところがありながらも、よく聞いてみるとたいへん的確で、特に名前や数字などの情報についてとても正確でした。数ある木星の衛星の名前やロケットの型番などを詳しく説明してくれるので、それを一つひとつ検索してみると、本当にそのとおりで、その記憶の正確さと細かさにビックリしました。

それまで僕は、48歳の大人である自分のほうが、6歳の彼よりも知識も経験も知恵も上だと思っていたのですが、それが完全にくつがえされた瞬間でした。もちろん、僕のほうが長く生きているので、彼よりよく知っていることも多いのは事実ですが、彼の興味関心の強い分野に関しては、今では彼に教えてもらうことが日常茶飯事(さはんじ)です。もはやなにごとについても「彼より自分のほうがすぐれている」と思うことはまったくなくなってしまいました。

「仕事がいそがしい」というのを言い訳に、なにも学んでいない僕にくらべて、興味関心のおもむくまま、とことん掘り下げまくっている彼に教えてもらうことのほうが多くなるのは、考えてみれば当然です。そこで僕はふと思ったのです。

「10年でガラリと景色が変わってしまうくらい変化の激しい世の中で、子どもたちが今学ぶべきことってなんだろう。

それは『世界を良くしていくために必要なこと』だ。そしてそれは現在進行形で世界に直結してることなのだから、めちゃくちゃおもしろいに決まってる。

新しいものについては誰もが初心者だ。だったら、子どもも大人も関係なく興味がある人は一緒に机を並べて楽しく学べればいいじゃないか。……あれ、なんでそうできないんだっけ?」

この疑問がとても気になった僕は、まず学校の起源や歴史を探りました。そして、ついに原因をつきとめました。それは、現在の教育システムの重要な一部である「クラス (class)」というしくみにあったのです。

◆

クラスの起源について調べながら、いつしか僕は眠ってしまったようです。

まどろみの中、いきなり輝きだしたまぶしい光にハッと目を覚ますと、そこは大きな長方形の部屋でした。十数人が横一列に座れる長い机がズラリと並んでいます。床にはゆるやかに傾斜がついていて、部屋のいちばん後ろからでも前にある教壇らしきものまですべて見渡すことができました。そこにぎっしりと座っていたのは、質素な身なりの少年たちでした。彼らが手元の石板(せきばん)になにやら書き込む音が、カツカツカツとそこら中に響いています。

「ようこそいらっしゃいました、冒険者の方!」

振り返ると、向こうから体つきのしっかりとした若者が歩いてきました。それにしても、ここはなんだろう。僕がたずねるより先に彼は手を広げ、全体を見渡しながら答えました。

「どうです、素晴らしいでしょう?　ここは私、ジョセフ・ランカスターがつくった、まった

く新しい学校です！　ここでは、私があみだした画期的な教育法をとりいれています。よくご覧ください。なにかお気づきになりませんか？」

彼にうながされてよく見てみると、それぞれ、机は3列ずつに分けられ、それぞれ「Ⅰ」から「Ⅷ」の数字が記された板で区切られています。各グループのそばには年長らしき生徒が立っているのが見えました。

「教えているのは、生徒なんです！」

彼は誇らしげに胸を張りました。

「ここでは、先に教えを受けた彼らが生徒に教えるのです。彼ら

を『モニター(monitor)』と呼んでいます。また、学びの効率を上げるために、生徒たちは学力別にグループ分けられています。このグループを私は『クラス（class）』と名づけました」

ああ、板に書かれた数字はクラス番号だったのか。え？　ひょっとして、これがクラスのはじまり!?

「モニターはおよそ10人の生徒を担任し、生徒が学習内容をマスターしたかどうかをテストします。そして、テストに合格した生徒は上のクラスに進むことができます。これが私の発明した新しい教育システム、『モニトリアル・システム（monitorial system)』なのです！」

彼の熱弁は最高潮に達しました。誰もやったことのない独創的なシステムをつくりあげ、それがうまくいっていることに、興奮と喜びを感じている様がありありと感じられます。同じ起業家として、僕も彼の気持ちはよくわかります。

でも、ランカスターさんはなぜ、こんなしくみをつくったのだろう。

彼は深呼吸すると、少し遠い目をして語り始めました。

「私は14歳で家を出て、ジャマイカで宣教師になることを夢みていました。しかし、ここロンドンの貧民街の子どもたちが教育を受けられないことを知り、彼らのために学校をつくることを決意したのです。

そして、20歳の時についに念願の学校を開くことができました。貧しい子どもたちが貧困から抜け出せるよう、彼らを賢くしてあげたい。いや、彼らに限らず、世界中すべての子どもたちに教育を届けたい。そういう想いからこのシステムを考えたのです」

20歳の時に学校をつくった⁉ もしかして、今まだ20代なの⁉

「おかげさまで大盛況。有力者の方々から寄付をいただいて、こうして立派な学校ができました」

うわあ、今で言うならバリバリのスタートアップじゃないか。どうりで、僕が応援している起業家たちと似たものを感じると思った。すごいな。僕は、彼の理想を実現する力に舌を巻きました。彼はさらに続けます。

「多くの生徒をさばくのに、教師をたくさん雇うとコストが高くなってしまいます。そこで、生徒が生徒を教えるこの方法を編みだしたのです。子どもが子どもに教えるのですから、教え方はなるべくシンプルにする必要があります」

僕はあらためて講堂全体を見わたしました。右側の壁の前では、たくさんの生徒が長イスに

先に教えを受けたモニターの生徒がクラスの他の生徒に教える
（ジョセフ・ランカスター著「The British System of education」（1810）から）

出典　The British system of education: being a complete epitome of the improvements and inventions practised at the Royal free schools, 第15巻
https://www.google.co.jp/books/edition/The_British_System_of_Education/6ynikBkDTjoC

座っています。どうやら自分たちの授業が始まるのを待っているようです。一方、左側の壁には等間隔で教材が張り出されていて、モニターの子が読み方や暗算など、石板を使わない教科をクラスの生徒たちに教えています。

その時、ジェネラル・モニターと呼ばれる生徒の「交替！」という声が講堂内に響きわたりました。次の瞬間、長机にいた子どもたちは一斉に立ち上がり、モニターの子を先頭に右側の壁に並んだ長イスのほうへと移動していきました。そして、それまで長イスにいた子どもたちは左側の壁に向かい、壁の教材で学んでいた子どもたちは一斉に長机に座りました。

「読み方と計算ではクラス分けが変わるので、こうやって一斉に交替するのです」

規律正しく素早く移動する子どもたちに

あ然とする僕に、彼は言いました。

「見事なものでしょう？　まるで最新の自動巻き取り機のようではないですか！　クラス・モニターが生徒を管理し、ジェネラル・モニターが秩序を管理し、マスター（教師）がこのしくみ全体を管理するこのモニトリアル・システムには、まったく無駄がありません」

彼は得意げに一冊の本を見せてくれました。『教育の改善』（１８０３）と書いてあります。

「このシステムの裏にある考え方をこの本にまとめましたのでぜひ読んでみてください。ひっきりなしに来る見学者と同様、きっと感心することうけあいです。もっとも、今も新しいアイデアをテストしている最中で、この本もすぐ古くなってしまうと思いますが！」

満面の笑みで彼はそう言うと、忙しそうに立ち去りました。僕はどうにもモヤモヤしてしまい、思わずうつむいてしまいました。ふと顔を上げると、そこは見慣れたいつもの部屋でした。

◆

モニトリアル・システムは当時最先端だった工場の分業システムを教育に応用したもので、その効率の良さから一気にヨーロッパ全体へと広がりました。

その後、イギリスの教育者サミュエル・ウィルダースピンが「ギャラリー方式」と呼ばれる新たな教育法を開発します。これは、階段状のところに数十人の生徒が座り、正面にいる教師からいっせいに授業を受ける方式です。これにより、教師はすべての生徒を見わたせるようにサミュエル・ウィルダースピンが開発した教育法「ギャラリー方式」
（サミュエル・ウィルダースピン著「A system for the education of the young」（1840）から）

出典　A system for the education of the young
https://archive.org/details/asystemforeduca00wildgoog/page/105/mode/2up

なっただけでなく、生徒も他の仲間の行動を見ながら学習を進めていくことができるようになりました。

そして１８６２年、この２つのしくみがイギリス政府によって合体されます。生徒の出席日数や学力などに応じて国が学校に補助金を出す制度がつくられると、粒をそろえたほうが効率的に教育できて補助金をもらいやすいということで、同じ年齢の子どもたちでクラスをつくる「学年制（grade system）」が生まれます。そして、同じ学年の子どもたちが同じカリキュラムを一緒に学ぶという形式ができあがりました。

それ以来、21世紀となった今もずっとこの形が続いています。それで、子どもたちと大人が一緒に学ぶことはできないのです。

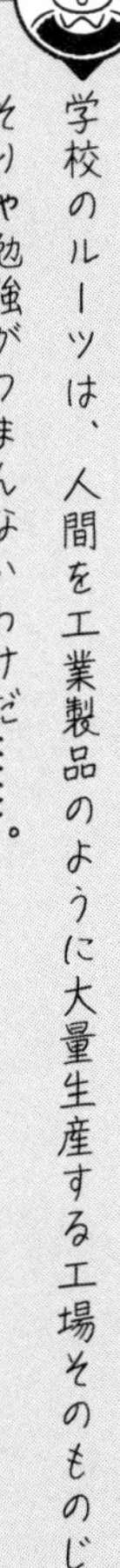

学校のルーツは、人間を工業製品のように大量生産する工場そのものじゃないか……。そりゃ勉強がつまんないわけだ……。

とはいえ、ランカスターさんやウィルダースピンさんが発明したシステムが当時どれだけ画期的だったかは、絵を見るだけでもわかります。この教育法のおかげで、それまで教育を受けられなかった多くの子どもたちが教育を受けることができるようになったことのインパクトは、とても大きかったに違いありません。

彼らの功績はまったく色あせないだろう。問題なのは、このような大量生産の教育はもう時代遅れなのに、200年以上たった今もまったく変わっていないことだよ。

偉大な発明家であり、イノベーターである彼らの精神にのっとって、私たちは200年ぶりに教育システムをつくり替え、クラスや学年というものを再発明する必要があると思います。

子どもと大人が一緒に学べない理由。
それはランカスターさんが発明した「クラス」や、
ウィルダースピンさんの「学年」という
システムにあった。

ふとした疑問から始まった
「クラス」のルーツを探る旅で、
またひとつ、学校の秘密を知ることができた。

だが、理由はこれだけではなかった。
もうひとつ、まったく思いがけないところにも、
ものすごく根深い理由があったのだ。

その事実は、僕の中に
大きな変革をもたらすことになる。

縛りを解き放て！

子どもと大人が一緒に学べない理由を探っているうちに、もうひとつ大きな理由があることがわかりました。

それは、人間の一生を「少年期」「青年期」「中年期」など、いくつかの段階に分けて考える「発達段階（stages of psychosocial development）」というコンセプトにそって社会の制度が設計されていることです。学校に通う年齢が決められている義務教育制度はもちろん、働き始められる年齢が15歳からと決められている労働法、数十年にわたって組まれる住宅ローン、支給年齢が決まっている年金などがその例です。私たちの人生は、法律によるいろいろな「仕切り」で区切られているのです。

あまりにもあたりまえだと思ってまったく疑わなかったけれど、これってなんで生まれたんだろう？　いつ頃、どうやってできたのかな。

ルーツを探るのが楽しくなってきた僕は、経済学や心理学、生物学などいろいろな学問の世界を探ってまわりました。その結果、このような考え方のきっかけは、1950年代にできた「心理社会的発達理論（theory of psychosocial development）」にあることがわかりました。

この理論をつくったのは、アメリカの心理学者エリク・H・エリクソン博士です。彼はユダヤ人の息子としてドイツで生まれたのですが、金髪に青い目というふつうのユダヤ人とはちがう見た目だったため、ユダヤ教会では「異邦人」、地元の学校では「ユダヤ人」と呼ばれ、どちらからも差別を受けました。

「自分はいったい誰なんだろう？」と苦しんだ彼は、そこから「自分らしさ」や「個性」などを意味する「アイデンティティ（identity）」という、今では誰もが知っている概念を世界で初めてつくり上げました。

彼は『幼年期と社会』（1950）で、人間の一生を8つの段階に分け、段階ごとの特徴を示した「発達段階モデル」を発表しました。

エリクソン博士は、「それぞれの段階で解決すべき危機や課題があり、それらをうまく解決できると、有能感や健全な人格が形成される。一方、課題を解決できなかった場合には、不全感を抱くことになる。もちろん、後で解決できないことはないが」と説明しています。

このモデルはとても画期的だったため、「なるほど、この分類はもっともだ」と多くの人々が受け入れ、会社や工場などでの働き方や、保険や住宅ローンなどを設計する時に使われるようになりました。そしてついには、法律や年金など社会の制度にまで反映されるようになったのです。

この「ライフステージ」という考え方は、今やあたりまえのものとなっています。私たちは、それぞれの段階の特徴にそって生きるよう社会から求められていることにすら気がつかないうちに、それをこばむことができなくなってしまっているのです。

たしかに、「子どもは子どもらしくしなさい」とか「大の大人がそんな幼稚なことして恥ずかしい」とか、「年相応に」という言葉がいつもチラついて、無意識のうちにこの階段からズレたことをしないようにしてるよなぁ……。

この段階と段階の間に立てられた「仕切り」はガッチリとしていて、なかなかこわすことができません。幼児期から青年期の20歳くらいまでは学校に行って勉強することを求められ、「今は学ぶ気にならないから学校に行かない」なんていうのは通じません。学校を卒業すると今度は「自活するために働く」ことを要求され、学ぶヒマなどなくなります。そして、年金をもらう年齢になると、今度は働くこともなかなかできず、多くの人がなにもせず日々をすごしています。

エリク・H・エリクソン博士の「発達段階モデル」

	ポジティブな面	成長させる面	ネガティブな面
老年期	統合	英知	絶望・嫌悪
壮年期	生殖生	世話(ケア)	停滞
成人初期	親密生	愛	孤立
青年期	同一性	誠実	同一性拡散
学童期	勤勉性	有能感	劣等感
幼児期	自主性	目的	罪悪感
幼児初期	自律性	意思	恥・疑惑
乳児期	基本的信頼	希望	基本的不信

僕の場合も、大学では経済学部に進学しましたが、社会の実体験が少ないため内容がちっともピンとこなくて、いったいなんのために勉強しているのかわからなくなってしまいました。それですっかりつまんなくなってしまったのですが、だからといって大学に行かないというわけにはいかず、ただ学位をとるためだけにやりたくもない勉強をしていました。

逆に社会人になってからは、仕事をして経験をつめばつむほど自分がなにも知らないことを強く感じ、「もっと深く学びたい」と思うようになりましたが、時間がないと思い込んでしまっていることを理由に「今さら大学なんか行けないし……」とあきらめて学ぶことをしませんでした。本来、学びは大学に行かなくたっていつでもどこでもできるものなのに、ライフステージの「仕切り」にとらわれて、そう考えることすらできなかったのです。

医療の発達とともに寿命も大きくのびた今、ライフステージはもはや実態と合わなくなってしまいました。定年後の人生は「余生」というにはあまりにも長すぎます。一方、若者の間でも学校がつまんない、つまんないから学ぶ気がおこらない、学ぶ気がないからついていけない、とドロップアウトしてしまう子が増えているにもかかわらず、彼らがいきいきと生きていけるような選択肢はあまりありません。

これを解決していくには、人間の一生のすごし方について考え方を根本から変えるしかないと思う。だけど、変えると言ってもどこから手をつければいいのかなあ……。

僕はこの問いについてずっと考え続けました。いろいろな切り口から探究を続けました。その結果、すごくシンプルなアイデアに行きついたのです。

学校がつまんないと思うなら、無理して行くことはない。したくもない勉強を無理やりさせられて嫌いになるくらいなら、しないほうがマシ。遊びたいなら遊べばいいし、学びたいなら学べばいい。働きたいなら働けばいい。もしなにかをすることに疲れたなら、休めばいい、と。

つまり、「仕切り」なんてとっぱらってしまい、人はいつでも遊びたい時に遊び、働きたい時に働き、学びたい時に学べればいいと思うのです。

いっそのこと、「子どもたちに基礎を教える学校」とされている「小学校」や「中学校」も、

やめてしまえばいいと思います。なぜなら、それが最初の大きな「仕切り」だからです。「小学校や中学校をやめる」とはどういうことか。もちろん、ただそれらをなくしてしまえばそれでいい、という意味ではありません。僕が行きついた新しいアイデア、それは現在の小中学校をやめて、そのかわりに新しく「初心者のための学びの場」をつくるというものです。子どもも大人も関係なく、同じテーマに興味がある「初心者」が誰でも一緒に楽しく学べる場をイメージしています。

そして、「技能の訓練」や「立派な大人をつくる」など、これまで学校に求められてきた目的を、私たちが学校に求めるのをやめてしまうのです。すなわち、学校にかけられている「呪い」を解いてあげるのです。

「労働者になるための技能の訓練所」なんてつまんない目的を掲げるの、もうやめようよ。「規律を守る人間になるためのしつけ」って、そもそも設定がおかしいよ。「立派な人間づくり」って、いったい誰ができるというの？　それは本人の自覚の話であり、学校に求めるものじゃないよ。

ここで僕がいちばん言いたいのは、「とてもひどいものに見える学校そのものが悪いのではない」ということです。本当に変えなければならないのは学校そのものではなく、私たち一人ひとりが学校に対して求めているものや私たちの意識なのです。

「学校とは？」という目的の縛り、「義務教育」という制度の縛り、年齢の縛り、期間の縛り、お金の縛り……。いろんな縛りがあるから学校はつまらなくなってしまいました。そこから学校を解放してあげれば、すべてはうまくいき始めるはずです。

このような考えは、ずっとモヤモヤと僕の頭の中にかかっていた霧をサーッととりはらってくれました。

学校は社会にかけられた縛りだらけで、なんだかかわいそうに見えてきた。

私たちはあらためて人生のすごし方、特に学び方について考えなおし、つくりなおしていくべきだと思います。僕自身もこれから子どもたちと一緒に「わかったあ！　やったあー！」

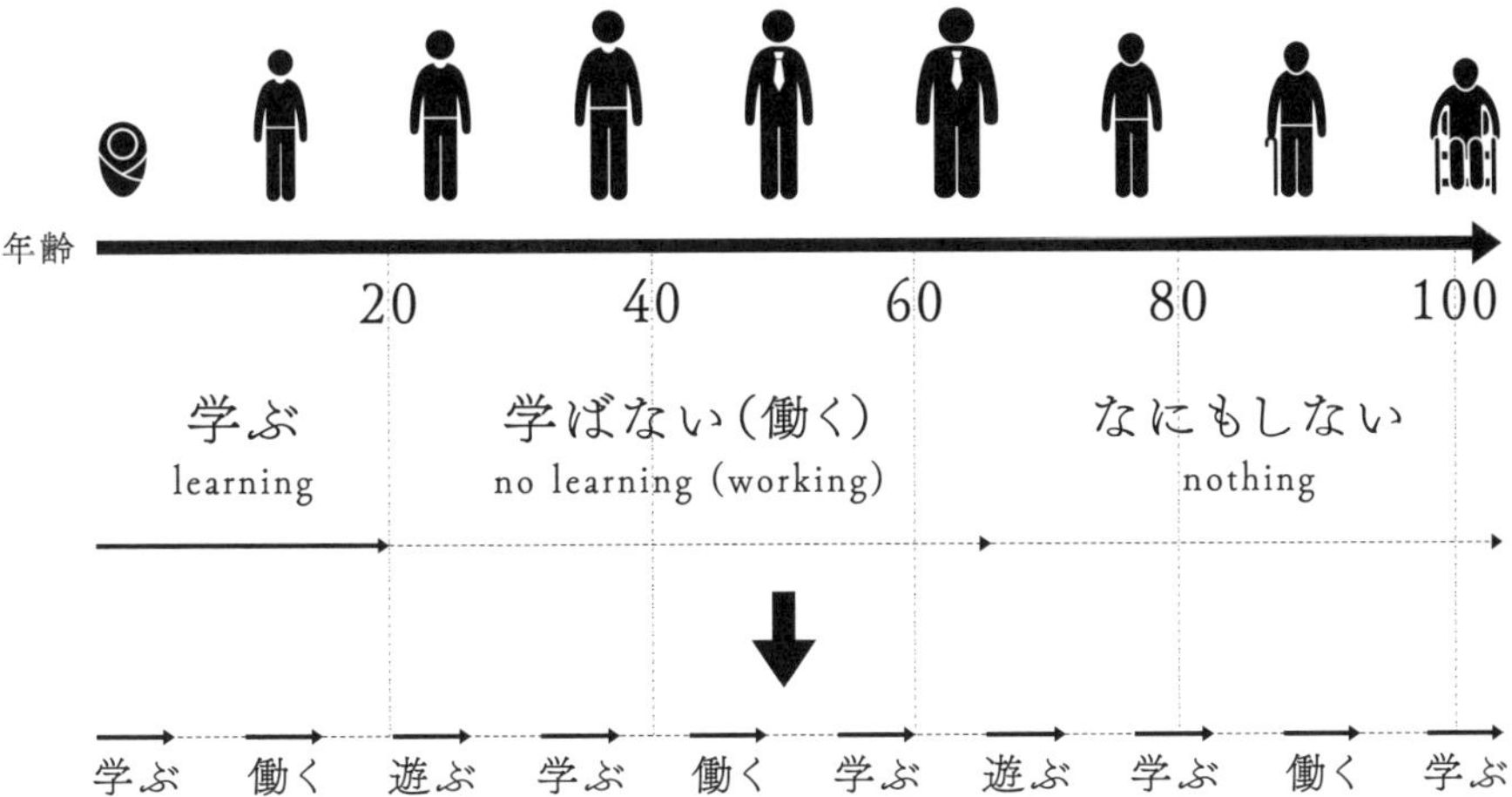

「うわ！　マジ!?　すごいね！」「ギャハハ！　なかなかうまくいかないねえー！」「でも、だからこそ人生はおもしろいんじゃないか！　ねえ！」などと大笑いしながら学び続けていきたいと思います。

子どもと大人が一緒に学べる場を
つくること。
つまり、ライフステージという
壁をとりはらうこと。
それは、僕たちが人生の
過ごし方を変えることに他ならない。

この気づきは僕にとって、
生まれ変わると言ってもいいほどの
新しい考え方だった。

こういう気づきをいったん得てしまうと、
他にもいろいろな「あたりまえ」が
不思議に思えてきた。

スローな学びにしてくれ

僕はこれまで新しい教育を切りひらいてきた人たちの考えを学び、今まさに教育を行っている人たちと何度も対話を重ねてきました。

いろんな人がいろんなことを考えていてどれも興味深いのですが、特に小さい子どもに教えている先生の中にはこのように言う人がけっこういます。

「外国語はすごく小さい時から学び始めないと、なかなかうまくしゃべることはできない。スポーツや音楽のように、体をつかって表現するセンスが必要なものは、幼い時から始めないと、プロのレベルにはなかなか到達できない」

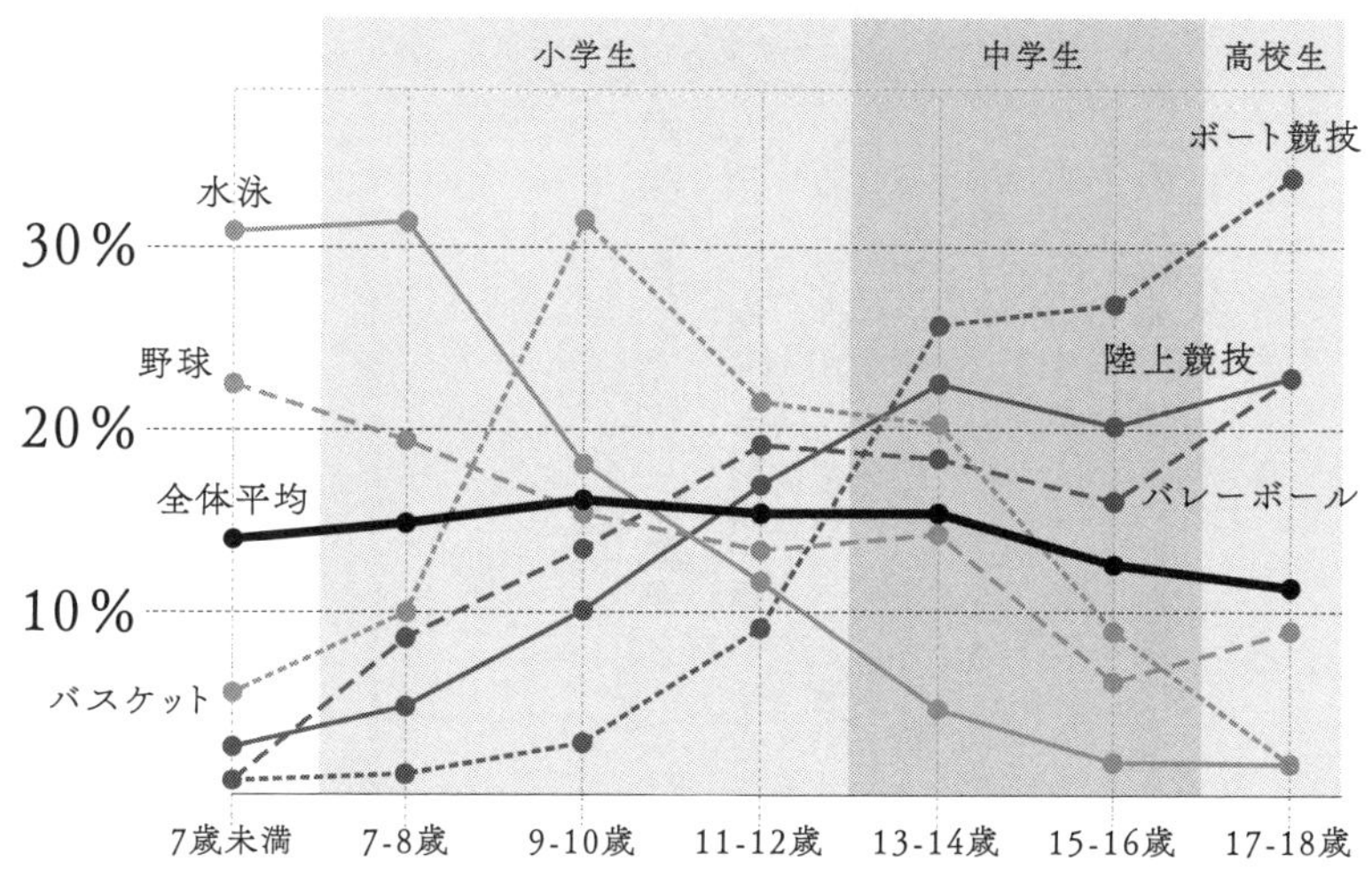

Roel Vaeyens, Roel Vaeyens, Chelsea R. Warr, Renaat Philippaerts,
"Talent identification and promotion programmes of Olympic athletes" を参考に作成。
https://www.tandfonline.com/doi/figure/10.1080/02640410903110974

外国語の発音とか、絶対音階とかについてそういうことがよく言われるけど、本当にそうなのかなぁ……。たしかにプロとかアーティストって小さい頃からやってたっていう話は聞くし、そういう人は実際に多そうだけど……。

気になった僕はいろんなデータを調べてみました。この図は、2004年のアテネオリンピックに出場した選手がその種目を本格的に始めた年齢をグラフにしたものです。たしかに水泳は7歳くらいから始めた人がいちばん多いですが、それでも12歳くらいから始めた人もけっこういます。陸上競技にいたっては、中学や高校から始めた人のほうが多いというデータになっています。つまり、幼い頃から始めなくてもオリンピック選手になれる可能性が十分にあることがわかります。

オリンピック選手になるのでさえも、早く始めることはあまり関係ないんだから、ふつうにアートやスポーツなどを楽しむのに、早く始めないとダメなわけがないよね。

「早くから始めないとダメ」。このような考えは、まるで科学的事実のように書かれていることが多いのですが、それはまったくの仮説にすぎません。なぜならこれも、証明するのも反証するのも非常に難しいからです。

なのに、なぜ「早く始めないとダメ」と言うコーチや先生があとをたたないのでしょう。いつ頃からそんな考えが生まれたのでしょうか。

この疑問を探っていくと、どうやら生物学や神経科学などの世界にヒントがありそうだということをつきとめました。アメリカの言語学者で神経科学者のエリック・レネバーグ博士が「臨界期仮説（critical period hypothesis）」という衝撃的な仮説を発表していたことを知ったのです。

それは「人間は、2歳くらいから12歳まで（臨界期）を過ぎると、言語を母国語のように習得することは難しい」というものです。『言語の生物学的基礎』（1967）で、失語症の患者が言語を取り戻す経過を調べた結果からそのような仮説を立てたことで有名になりました。

また、アメリカの神経学者のエリッサ・ニューポート博士とジャクリン・ジョンソン博士が渡米した外国人の英語習得について調べたところ、3〜7歳に渡米した人はネイティブ並み、11〜12歳を過ぎて渡米した人は成績が低かったという結果から、第二言語の習得についても臨界期があてはまる可能性が高いと発表しました。

これらの仮説をもとに、教育サービスの会社などが親の財布のひもを開かせようとして「小さいうちから学習や訓練を始めないと何事も手遅れになりますよ?」と脅したことから、「早期教育が重要だ」とさかんに叫ばれるようになったのです。

そもそもこの「臨界期」というのは、オーストリアの動物行動学者コンラート・ローレンツ博士の研究がきっかけとなっています。彼は、近くにいる親鳥をすぐに記憶するニワトリやカモの雛には、近くにいる親鳥を一瞬で記憶し、それをずっと覚えている「すりこみ(imprinting)」という現象があることを発見し、そこから「臨界期」というコンセプトを発想しました。

その後、アメリカの神経生理学者のデイヴィッド・ヒューベル博士とスウェーデンのトルステン・ウィーセル博士は、眼の神経細胞に臨界期があることを明らかにしました。それをレネバーグ博士が、人間が言葉を話せるようになるメカニズムの解明に応用して「臨界期仮説」を立てたのです。

しかし、よく考えてみると、幼児教育サービスの会社の主張には、論理に飛躍があります。彼ら科学者が言ったことは、あくまで脳細胞や神経細胞の発達のような、生物学的な観点からの研究成果です。にもかかわらず、それを「人間の学び全体に通じる黄金法則」のように伝えているところに飛躍があるのです。

科学者が仮説を置くこと自体は、科学の研究を進めるためにとても重要なことです。しかし、いくつかの調査結果から導いた仮説をもとに世の中すべてそうだと言いきってしまうのは、あまりにも早計です。このような論理の飛躍を「早まった一般化(hasty generalization)」といいます。

ここで百歩ゆずって、仮に「早く学ぶほうが学習上、良い効果がある」としましょう。それでもそこには根本的な問題が残ります。「学習レベルが早く上達したからといって、それのなにがいいの？」という疑問です。

人生は100年もあるのに、その中でたった数年、ちょっと早く、ちょっとなにかがうまくできるようになったからといって、それになにか意味があるわけ？

ちょっと早くできるようになることで大きく得をすることがあるだろうか。特に大きな意味がないのなら、なぜ血眼（ちまなこ）になってがんばる必要があるというのか。

生まれて最初の20年かそこらのうちに詰めこみ教育をする必要がいったいどこにあるのだろう。いつでも興味を持った時に学び始めればいいじゃないか。生涯かけていろいろなことをじっくり学べばいいじゃないか。

無理やり詰めこんで、わざわざ学びをつまらなくするくらいなら、むしろ、本当に興味がわくまではあえてまったくやらないほうがいいんじゃないかとすら僕は思います。

学びの楽しさや喜びを追究するなら、「早い教育」よりもむしろ「遅い学習」のほうがいいんじゃないか。そんなふうに僕は思うのです。

「早熟の天才」という言葉があるように、
早いうちから極めることが
社会全体でもてはやされる。

それどころか、
「早くから始めないとダメだ」と言って、
大人たちは子どもたちをせかしたりする。

しかし、それは
「早まった一般化」でしかないとわかった。

まことしやかに語られている教育の「神話」に、
僕たちはもっと気づくべきだ。

基礎という神話

教育にまつわる「神話」は早期教育に限りません。「基礎」という概念もまた、多くの人が重要だと思い込んでいる神話のひとつです。

なにかをマスターしたい時、まわりの人に相談するとたいてい「まずは基礎から始めるべきだ」とアドバイスをくれます。「基礎の勉強や訓練をくり返して、初めて応用力が身につくから」というのがその理由です。

「基礎が大事。基礎をおろそかにしてはいけない」「基礎がなってないから、それ以上、上達しないんだよ」みたいなことは本当によく言われるよなぁ……。

しかし、僕はこの考え方にも、非常に疑問を持っています。まず、なにをもって「基礎」とするのか。その定義は、実はとてもあいまいです。しいて言うなら「比較的単純なもの」「他のものを学ぶ時の前提となっているもの」を指すのかなと思いますが、よくよく考えてみても、僕にはそれがなんなのかイマイチわかりません。

サッカーだったらドリブルやパス、絵画だったらデッサン、言語だったら文法などが基礎だってよく言われるけれど、本当にそうなのかなあ……。

また、「基礎から応用へと順番に学習しなさい」とよく言われますが、そもそも「基礎」の定義がよくわからないので、なにをどういう順番で学ぶべきなのかもさっぱりわかりません。「基礎」と言われるものをあつかっている教科書や解説ビデオなどはよく「基礎」と「応用」にカテゴリー分けされていますが、その理屈が僕にはよくわからないのです。

そもそも、「基礎が大事」という人の考えは、「複雑な問題は、基礎を組み合わせることによって解くことができる」という前提に立っています。そして、この前提にはさらに大きな前提があります。それは「どんなに複雑なものでも、それを要素に分解し、それら一つひとつを理解すればなんでも理解できる」という考え方です。これを「還元主義（reductionism）」といいます。「基礎」という考え方は、この還元主義の象徴なのです。

しかし、「人間の知恵や技は、基礎的なものの組み合わせでつくられている」という考え方には、実はなんの根拠もありません。むしろ、「人類の知恵は基礎から応用へと発達してきたのだ」と考えるのは、まったくまちがっています。

どの分野であれ、それが一本道で順番に発達してきたわけではないことは、歴史を見れば明らかです。そうではなくて、「人類の知恵はいろいろな問いや結論がたがいに結びつき、からみあった巨大な網の目のようなものだ」と表現するほうが正確だと思います。

なにかにたどりつく道は無限にある。それはつまり、「どれが基礎でどれが応用だという境目はない」ことを意味します。要するに、「基礎から応用へ」と順番に学習させようという教育は、そもそも人類の知恵のあり方と合っていないのです。

たとえば、たし算・ひき算・わり算・かけ算という四則計算を「数学の基礎」として教えるのは、「広大な数学の知識体系の中で、四則計算を組み合わせることによって解けることを教えよう」ということでしかありません。ただその範囲の中で、四則計算を「基礎」として初めに教え、次に「応用」として四則計算で解ける問題の解き方を教えるという「決めごと」にすぎないのです。

つまり、大海原（おおうなばら）を航海するのに「この航路だけが唯一のルートだ」というものがないように、「これを学ぶ

にはこのアプローチしかない」ということはありません。なにを学ぶにしてもどんなルートを通ってもかまいませんし、そのルートは一人ひとりちがっていい。それどころか、「新しい発想を生み出すには、いろいろな人がいたほうがいい」という多様性の観点からみれば、むしろルートはまったくちがったほうがいいかもしれない。

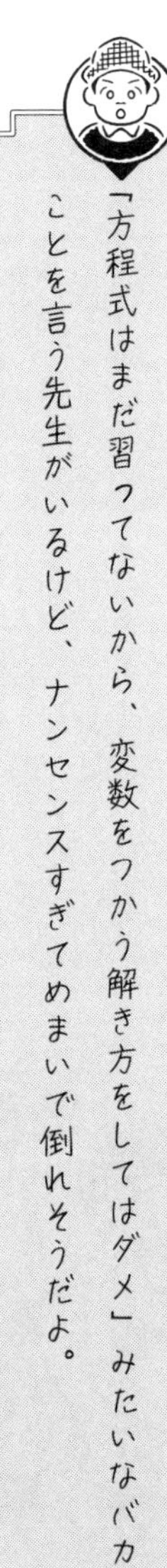

社会は「イノベーションを生み出したい」と言います。また、イノベーションは常に「箱の外(out of the box)」の発想から生まれるとよく言われます。なのに、なぜ社会はわざわざ人々を「箱の中」に押し込むのか。この矛盾に誰も気がつかないのは、まさに「基礎が大事」という「箱」がジャマをしているからに他なりません。

「基礎」と言われるものは、それが「基礎」であるがゆえに、余計なものがそぎ落とされてエッセンスだけが教えられることが多いのが事実です。なので、とても退屈で地味な訓練のようなものになりがちです。初心者はそもそも、まだそれを学ぶことに対してそれほどモチベーショ

ンが強くありません。にもかかわらず、「基礎が大事だから」とつまらない反復練習を何度もやらせて、せっかく好きになりかけてた人をわざわざ嫌いにさせてしまうのも大きな問題です。

計算練習とか、外国語の単語の練習とか、音楽のソルフェージュとか、本当につまんないもんなあ……。あれでだいたいみんな嫌いになるんだよね。

ただし、僕は「基礎練習」、いや、より正確に言うなら「本人が基礎的だと思うものをマスターするための練習」をすべて否定するつもりはありません。非常に高いモチベーションを持つ中上級者が、技能を徹底的にとぎすますために、「自分」が「基礎」だと思うことを徹底的にみがき上げることは、大いに意味があると思います。

「基礎練習」って、初心者のためじゃなくて、中上級者のためのものだよね！

なにはともあれ、初めは自由に遊んでなれ親しむ。その後、深く極めたいと思った時に初めて「自分が基礎だと思うこと」を徹底的にみがく。このほうがよっぽど自然で、その世界に入りやすいと僕は思うのです。

「基礎」→「応用」じゃなくて、むしろ「応用」→「基礎」じゃない？

その点で言えば、「小さい子になるべく早いうちに基礎を教えこむ」という教育は、いろいろな意味でちがうんじゃないの？　と思います。

早くやる必要ないし、学ぶ順番も一本道ではないし、初心者にはつまんないしね。初心者に「基礎が大事！」と言って、彼らが考える「基礎」を一方的に教えようとする先生の言うことは聞かないようにしようっと！

それよりも「自由に遊んでいる中で、気がついたら学んでマスターしてしまっている」という状態が最も理想です。そういう学び方なら、学んでいる本人は楽しいので、長続きします。なにかを習得する最良の方法は、長くずっと学び続けることです。その観点からも「遊んでいるうちに学んでしまう」というのはとても理にかなっていると思います。そして、教師も「教える人」をやめて、「一緒に遊ぶ人」になればいいのです。基礎はおもしろくない。なのに、基礎をやらされる。だから、「夢中になったまま大人になれない」。そう、私たちの中にある「基礎」という常識がジャマをしていたのです。

「基礎」という常識の無意味さに気づいてしまった以上、僕はもう「基礎」などという考えにとらわれるのをやめようと思います。そうすることで、学びとともにあった遊びを、再び私たちの手に取り戻すのです。

「基礎」という考え方は、
学びを「型」にはめてつまらなくしてしまったり、
しまいには嫌いにさせてしまったりする。

それなのに僕たちは、「基礎は大事」という
もっともらしい言葉で思考停止におちいっている。

「基礎」にとらわれる必要なんかない。
学びはもっと自由でいいし、
もっと楽しくあるべきだ。

僕はあらためてその想いを強くした。

失敗する権利

小さい頃、僕は作文が苦手でした。特に読書感想文が本当に嫌で、「書きたいことがないのに、なぜ文章を書かないといけないのだろう？」といつもすごく疑問に思っていました。原稿用紙を埋めるために、無理やりよくある表現を並べたてて字数をかせぐことが苦痛でしかたがありませんでした。

そんな自分が、今こうやってたくさん文章を書いている。それは、自分が書きたいと思った時に書いているからです。「書きたい」「伝えたい」という想いが自分の中にふつふつとマグマのようにたまっているからこそ、こうやって素直にどんどん書けています。

考えてみれば、世の中はやりたくもないのに、無理やりやらされていることだらけです。特に学校では、先生たちは生徒一人ひとりが勉強したいという気持ちになるまで待ってはいられないので、生徒はどうしても、「先生からやりたくないことを無理やりやらされる」という形になってしまいます。

いつも思うんだけど、やりたくないのに無理してやってなにかいいことあるのかな。

こういうことを言うと、必ず誰かがこういう意見をかぶせてきます。

「やりたくないからといってやらないでいたら、結局なにも身につかないよ。無理やりでもいいから、とにかくやってみたら好きになることもあるよ」

また、こういうことを言う人も僕のまわりにたくさんいます。

「自分も親から無理やりやらされた時は嫌でしかたがなかったけど、今になってみれば、あの時やってよかったなと思う。実際、今とても役に立っているしね」

実は僕も、ついこの前までまさにそう思っていました。しかし最近、あらためて「本当にそうなのかなあ？」と疑問を持つようになりました。

人は誰しも自分の過去がムダだった、意味がなかったと思いたくはありません。それは自分の人生を否定することにもつながるわけで、誰もそうしたくはないはず。「今になって考えてみれば、あの時やってよかったと思う」というのは、「自分を認めることによって自分の過去に意味を持たせたい」という気持ちからきているのだと思うのです。

もちろん、自分の嫌な過去に新しい意味を与えて認めることは決して悪いことではありません。むしろ、だからこそ生きる意味があると言えるでしょう。

しかし、僕が言いたいのは「なにも考えずにただ自分を認めることは、自分を成長させてはくれない」ということです。そうやってかんたんに自分を認めてしまうと、これからも同じようなことをくり返してしまう。つまり、やりたくないことを受け身でやり続けてしまうのではないかと思うのです。

「やりたくないことを無理やりやらされて意味がなかった」と否定するのでもない。

「やりたくないことだったけど、やってよかったと思う」とかんたんに認めるのでもない。

そのどちらでもないところに評価や判断を保留したまま、

「自分は本当はやりたかったのか？　やりたくなかったのか？」

「やりたくなかったと思っているとしたら、それはなぜなのか？」

「では、本当は自分はなにがやりたいのか？」

「なぜそれをやりたいと思っているのか？」

などを考え続けることが大事だと思うのです。なぜなら、こういう疑問はよっぽど意識しないとなかなか考えない疑問だからです。そして意識して言葉にしないと、なかなか自覚できないことだからです。自覚できなければ、自分を変えることなど、決してできません。

一方、世の中は「ねばならない」ということだらけです。

学校に行か「ねばならない」、勉強をしなけ「ればならない」、校則を守ら「ねばならない」、中高生は中高生らしくしなけ「ればならない」、女の子は女の子らしくしなけ「ればならない」とか、そういうことだらけ。でも、本当にそうでなければならない」ものって、どれだけあるのかなあ？

実は、絶対に「ねばならない」ものなんて、ほとんどないということをみんな知っています。なのに、その「ねばならない」にしたがっているのは、「それがいちばんいいのだ」という誰かがつくったつくり話を信じているからです。

いや、もっと正確に言うならば、それがつくり話なのか真実なのかを考えるのもめんどくさいので、ただ「これまでそうだったから」という習慣やルールに、ただ単に身をゆだねたているだけなのです。

「ならない」にしたがうのは思考停止のあらわれである。そのことを私たちは強く自覚するべきだと思います。

また、「しなければならない」と同時に、「してはいけない」ということも社会にはたくさんあります。明らかに失敗しそうなことをやろうとする人がいると、先生や親、先輩、友だちなどがその人に対して「ダメダメ、それじゃあ失敗するよ！」「ちがうちがう、こうやったほうがいいって！」など忠告したり、たしなめたり、自分の意見を押しつけたりします。

彼らは、その人が失敗したらかわいそうだからと、その人のためを思ってアドバイスをしているのであり、悪気はまったくありません。むしろ「あの人の失敗を未然に防いだのだから、感謝してほしいくらいだ」とさえ思っているでしょう。しかし、それは僕に言わせれば、本当によけいなお世話です。それどころか、「害」だといっても言いすぎではありません。なぜなら、彼らは失敗から学ぶ「権利」を奪ってしまっているからです。

「失敗する権利」を奪われた人々が社会全体の多数派になるとどうなるか。「絶対に失敗は許されない」という空気が広がり、人々はその空気を読んで、誰もなにも言わなくなってしまうでしょう。若者たちが自由にチャレンジして失敗することができなくなり、彼らが自ら未来を切りひらいていく機会を奪ってしまいます。そうなったら、社会は衰退していく道をたどるしかなくなるでしょう。

世の中の「ルール」と呼ばれるものは、「してはいけない」を強制するものであり、人々から大事な権利を奪いとるしくみだといえます。

そもそもルールとは、先人たちがいろいろと痛い目にあった結果をふまえ、後につづく人が失敗をくり返さないよう、「転ばぬ先の杖（つえ）」としてつくられた教えです。そう聞くと良さそうに思えるルールですが、実際には人々の思考を停止させ、人間の成長にとって大事な失敗をさせないようにし、理由もなく人々を恐れさせる点ですごく罪深いと思います。

それに関連して、失敗する権利をきちんと尊重している良い例があります。禅の修行です。禅の修行は、期間中に全員が失敗するしくみになっているそうです。たとえば、ご飯を炊いたことがない人にいきなり「明日からご飯係になれ」と、五升（しょう）（8kg）ものご飯をマキで炊くことを命じます。しかし、そんなことやったことがある人はどこにもいません。ですから、最初は必ず失敗して叱られるそうです。

この飯炊きに限らず、修行の指導や引き継ぎなどはほとんど行われないそうで、ある日突然任命されて必ず失敗する羽目におちいるそうです。「全員失敗させて、試行錯誤させる」。修行がそうデザインされていることについて、禅僧のダイコウ・マツヤマ（松山大耕）さんは次のように語っています。

それは（正解を）教えてもらったら、盲目的にそれしかやらなくなるからです。試行錯誤をしなくなるんですね。絶対に失敗させて、逆にいうと試行錯誤したら、どれだけセンスのないやつでも成功できるんです。全員失敗させて、全員成功させるんです。だから禅は1000年続いているんですね。

——ダイコウ・マツヤマ

つくるべきは、ルールではなく、「試行錯誤できて、失敗から学べる環境」。それは、実は1000年も前から証明されていたのでした。これから僕もこういう場のデザインを心がけていこうと思います。

僕たちは失敗したくなくて、つい正解を求めてしまう。
なぜなら、「正解」を求める勉強ばかりしてきたからだ。

物事には正解があって、それを答えられれば
優秀だと思い込んでいる。しかし、この複雑な世界に、
これだという「正解」はない。あるはずもない。

大事なことは、失敗を
「避けるべきマズいもの」と考えることをやめ、
「成功するためにとても大事な学びのプロセス」
ととらえること。

それをさらに進めて、「失敗を楽しみ、愛でる」という
境地まで行くことができれば
人生はとても豊かなものになる。

すぐにはそうなれないかもしれないけれど、
失敗とはなにか？　という問いを
よく考えてみる価値はあるだろう。

いろいろな冒険の書に出合ったことで、僕は最初の頃よりもずいぶん自分で考えることができるようになりました。そこで、あらためて最初の問いに戻ってみることにします。

Q

どうして学校の勉強はつまらないのか？

まず、近代の学校教育のルーツは17世紀のコメニウス先生にあることがわかりました。三十年戦争で家族を失くした彼は「世の中から争いをなくすためには、青少年を正しく教育するより他に道はない」と主張しましたが、その背景には「本来、利己的である人間は、放っておくと自分の利益のために争い続けるものだ」というホッブズさんの指摘した世界観がありました。この強迫観念が現在までずっと続いており、特に親の恐れや不安を解消するために教育サービスができあがり、ほとんどの親は「子どもたちをどの学校や塾に入れたらいいか？」しか考えない教育サービスの消費者に成り下がってしまったのです。

また、学校での学びが受け身になってしまう理由のひとつに、近代の管理システムの考え方があることもわかりました。フーコーさんは現代の学校システムの起源を、最も強力で最も運営効率の良い監獄「パノプティコン」に見いだし、「学校は人々が自ら服従するように機能している」と指摘しました。また、ランカスターさんやウィルダースピンさんが発明したクラスや学年のシステムは、当時最新の考え方であった工場の分業システムを教育に応用したものでした。学校はこのようなデザインになっているため、学校の勉強はあまりおもしろくないのです。

「子どもたちが貧困から抜けだすためには、とにかくできるだけ多くの子どもたちに教育を受けさせるべきだ」という信念のもとに、学校システムがどんどん発達していった結果、そもそも「なんのために勉強するのか？」ということは完全に見失われてしまいました。「とにかく試験に合格して、良い大学に入るために勉強する」という「手段の目的化」が進み、学校は自由な学びの機会を奪うようになってしまったのです。これが、学校の学びがつまらない最大の理由です。

また、「早く習得する人がエライ」ともてはやす風潮のおかげで、効率よく知識を詰めこむ教育法やシステムが発達し、あわせて「基礎」という概念も発達しました。そして、私たちがそれをとても大事なものだと信じることが人々の学びを型にはめ、学びをつまらなくさせてしまったのです。

もっと学びは自由でいいし、楽しくあるべきだ。

そのためには、「人には失敗する権利がある」という想いを胸に、いたずらにルールをつくることをやめ、失敗から学べる環境をデザインすることが重要だという考えにいたったのです。

第 2 章

秘密を解き明かそう

UNLOCK

なんで
学校に行くんだっけ？

そもそも、子どもたちは
なんで学校に行くのだろう。

なぜこのような問いから始めるかというと、
学校には決定的に深刻な問題があるからだ。

探究の途中で、
僕は学校の秘密の一端を教えてくれる
人に出会った。
その秘密について調べたこと、
考えたことをここに記した。

ザ・グレート・エスケープ

日本では、学校での「いじめ」や「不登校」が増え続けています。その数は、ともに毎年過去最多を更新しています。全児童生徒数は減少しているにもかかわらず、です。また、日本では小学4年生から中学3年生の6年間に1度はいじめを経験した子どもはなんと9割に達しているといいます。

「9割」といえばほとんど全員じゃんか……。なんとおそろしい……。

ほとんどの子がいじめを経験する教室。自分がその中の一人だとしたら……と想像してみました。いじめの対象が次から次に変わり、そのうちほぼまちがいなく自分にも襲いかかってくる。「次は自分の番だ」……恐ろしくて学校に行きたくなくなります。社会全体を見渡してみても、こんなに恐ろしい場所は他にどれだけあるだろうかと思います。

研究者によると、「他の子がいじめられているのを見てつらくなってしまった」「友だちを助けられなかったことを気に病んでしまった」などの理由から学校へ行けなくなる子も少なくないそうです。

行きたくないのに無理やり行かされ、そこにいる人たちとうまが合わなくても決して出られない場所に押し込められたら、それはストレスになるに決まっています。

たとえ、子どもたちが「もう行きたくない！」と強く拒否しても、教師や親から「気持ちはわかるよ。でも、学校に行かないで将来苦しむのは、あなた自身なんだよ？」となだめすかされ、言いくるめられ、あげくには脅されて決してそこから抜けられない。ストレスはひどくなるばかりです。

そもそも人はなぜ、人をいじめるのかなぁ……。

劣等感からいじめる。ストレスのはけ口としていじめる。押さえ込まれた心のバランスを保つためにいじめる。自分がいじめられるかもしれないという恐怖心からいじめる。自分がいじめられた腹いせにいじめる——。その理由は様々だと言われています。

僕は、学校にいじめが生まれる根本的な原因は、学校という場所が、同級生と生活や人生の深いものをなにも共有しないにもかかわらず、長い時間その場をともにすることだけは求められる場所であることにあると思います。

学校は「子どもたち一人ひとりが自ら学力を高め、将来の準備ができるようにすることが大事だ」と言います。にもかかわらず、子どもたちは個別に指導されることはあまりなく、集団でまとめて一斉に学ばせられます。「みんな仲良く一緒にやりましょう」などと言われるものの、一生を通じて仲良くできる仲間と苦楽をともにするような体験などほとんどありません。

つまり、学校では「本当の仲間とともに生きる」ことは、基本的に求められていないのです。そんな薄っぺらい関係性しかない閉鎖的な環境に閉じ込められたら、なにかマズいことが起こるとすぐに犯人探しを始めるなど、クラスメイトを「加害者」か「被害者」としか見られなくなるのもしかたがないように思います。誰かをスケープゴート（いけにえ）にして、笑ったりからかったりすることによってみんなで「被害感情」を共有し、それで結束するような「一対多のいじめの構図」が生まれるのです。

一方、不登校の理由として「すぐキレる子どもが増えたから」「ガマンできない子どもが増えたから」という声もあります。

たしかに、「今の子たちはすぐキレる」っていう意見をメディアなどで見たことがあるけど、本当かなあ……。なにを根拠にそう言ってるんだろう……。

答えを求めていろいろ探ってみたものの、なかなかうまく見つからず、ずっとモヤモヤしていたそんな時、日本の発達心理学者スミオ・ハマダ（浜田寿美男）先生が残した言葉を見つけ、僕はおもわずひざを打ちました。

> 私が子どもだった50年前と現在を比較すると、子どもをとりまく社会状況は大きく様変わりしました。子どもが自分の力を使って大人を助ける機会はどんどん少なくなっている、いやむしろ、奪われていると言っても過言ではないほどです。異常な犯罪が起きるたび、子どもが質的に変わってきたかのような言説が飛び交いますが、たかだか50年で、子どもが生物的変化を遂げるなんてことはあり得ません。変わったのは子どもをとりまく社会状況であり、それが子どもの抱える生きづらさとも関係しているのだと思います。
>
> ――スミオ・ハマダ

そんなことを思いながらニュースサイトを見ていたら、ひとつの記事が目に飛び込んできました。それは、ある不登校の小学生がインターネットの動画を通じて「インターネットでなんでも学べるから、わざわざ学校に行って勉強する必要はない。だから中学校にも行かない」というような発言をしたところ、「学校教育をバカにするな!」「家で勉強するだけだと社会性を身につけられない。それでいいのか?」といったコメントが殺到し、炎上しているという記事でした。実際にコメント欄を見てみると、とんでもない数の批判が寄せられていました。

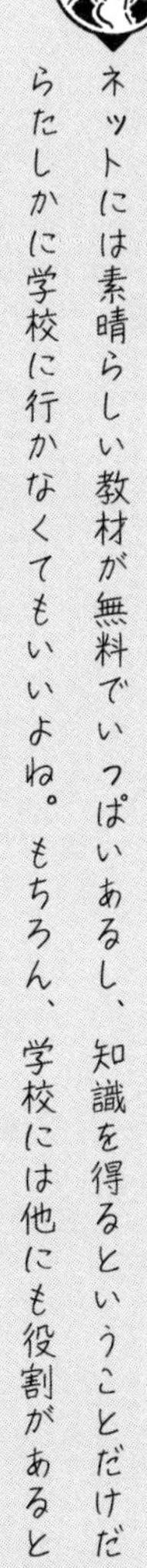

僕はこれを見てすごくモヤモヤしました。小学生一人に対して何千人もの人が頭ごなしに全否定しているのも異様だと感じましたが、それ以上に、なぜ彼の意見がそんなに非難されないといけないのかがまったくわからなかったからです。

◆

釈然としないまま机に足をなげうってぼんやりしていた時のことでした。ゆっくりとした口調の、聞いたことのある声が部屋にこだましました。イヴァン・イリイチさんにちがいありません。

「学校は、学ぶことを『教育』と定義しなおすことによって、学校の外で学んだ人に『無教育』のレッテルをはることになるのだ」

そうか！　僕がモヤモヤしたのは、小学生の意見を非難するコメントに「学校で学ぶことこそが正統であり、それ以外は学んだことにはならない」という、イリイチさんの言う「学校の独占的な性質」がハッキリと現れていたからなんだ。

このことが気になった僕は、それまでちょっとかじっただけだったイリイチさんの考えを知るため、彼の『脱学校の社会』（1970）を手にしました。光の中を通り抜けるような感覚の後、気がつくと、僕は講堂で教壇に立つ彼を学生とともに見ていました。

「学びは本来、自分の好きなように行える自由な活動であるはずなのに、学校はそれを『教わる』という受け身の活動に変えてしまいます。そして人々に、『ちゃんとした勉強をするためにはきちんとした教育の制度と専門家が必要だ』と思い込ませるのです」

白いシャツに幅広の黒いネクタイを締めたいでたちは彼の細身を強調していましたが、その身体とは対照的に、彼の言葉には力強さと明瞭さがみなぎっていました。

「それは、たとえば『健康を維持するためには大きな病院が必要だ』というのも同じですが、学校はそういう考え方すべてのおおもとになっているのです。したがって、あらゆる『ニセモノの公共サービス』の中で、学校は最も陰険だと言えるでしょう」

イリイチさん、学校に対して容赦ないなあ……。でもたしかに、教える側ががんばって教えれば教えるほど、学ぶ側はどんどん受け身になってしまう。その結果、教育の専門家である教師に教わらないとダメだとますます思うようになる。学校にはそういう側面があるかも。講義は続いていましたが、僕はそこでいったん抜け出しました。

◆

人は学校でしか学べないわけがありません。にもかかわらず多くの人が「学校でしか学べない」と信じきっていることをそら恐ろしく感じました。ことさらに学校教育が大事だと言う人たちは、学校の外で自分で学んだことがないとでもいうのでしょうか。

今こうしている間にも、多くの子どもたちが苦しんでいます。「いじめ」を苦に「不登校」になった自分を責め、「自分なんか生きてる価値もない」と思いつめているケースはあとをたちません。

僕が思うに、子どもたちがここまで追いつめられてしまういちばんの原因は「不登校」という言葉そのものにあります。「不登校児童」とは「学校に登校しない子どもたち」を意味しますが、この言葉の裏には「学校に通うことは当然の義務である」という大前提があります。だから社会は学校に通わない子どもを「不登校児童」と名づけ、不良やアウトサイダーのようなあつかいをするのです。

「不登校」という言葉がなくならない限り、この問題は根本的な解決には向かいません。子どもたちを苦しめないためには、「とにかく学校に行かせないと」と思考停止して子どもを学校に送り続ける親、そしてそれを許している大人である私たち一人ひとりが実際に行動を起こし、「不登校」という言葉そのものをなくしていかなければなりません。

ですから、もし目の前に「不登校児童」がいたら、僕はこんなふうに、その勇気と行動をほめてあげようと思います。

「おー！　学校から自分の意思で脱出してきたんだね！　よく決断したね！　素晴らしいチャレンジだよ」と。

それから、まずは「遊ぼうぜ！」と遊びに誘おうと思います。そして一緒に遊びながら、徐々に、ワクワクを伝えようと思います。そもそもなにかを新しく知ることは、すごく楽しくて、心がときめくことなんだという事実を思い出してもらうために。

学校で学ぶことこそが正統であり、
それ以外は学んだことにはならないと人々は考え、
とにかく学校に行かなければならないと駆り立てる。

学びは本来、個人の自由な活動であるはずなのに、
学校はそれを「教わる」という
受け身の活動に変えてしまう。

イリイチさんはそう指摘した。

それにしても、
どうして学校の勉強はつまらないのだろう。
なにがここまで勉強をつまらなくしてしまったのか。

なんとなくわかる気がするけれど、本当の原因は？
と問われると、なかなか答えることができない。
そこで、僕は真実を求めて
新たな旅に出かけることにした。

3つに分けられた悲劇

私たちは皆、遊ぶのが大好きです。「遊んでいるうちに結果的によく学んでしまった」ことは、誰もが実感したことがあるはずです。たとえば僕も6歳頃にはみんなに「昆虫博士」と言われるくらい昆虫の種類や生態に詳しくなっていました。本人としては昆虫が好きだったからのめり込んだだけなのですが、気がつけば、まわりが驚くほどなんでも知っていました。今になって考えてみると、自分的にはただ遊んでいたにすぎませんが、結果的に僕はよく学んでいたと思います。

つまり、遊びと学びはもともとシームレスにつながっているのに、近代以降、「遊び」と「学び」はまったく別のものとして区別されてしまいました。そして、それが「学び」を貧しいものにしてしまったという気がしてなりません。逆に言えば、「遊び」が持つ素晴らしい可能性がしぼんでしまったとも言えます。

「働き（仕事）」についても同じことが言えます。本来、「遊び」と「学び」と「働き」はひとつのものだったのに、それらがまったく別々のものだと分けられてしまった結果、すべてがつまらなくなってしまったと言えます。

どうしてそれらを分ける考え方がはびこってしまったのかなあ……。

気になった僕は、その理由を探りはじめました。そして、日本の認知科学者で教育学者のユタカ・サエキ（佐伯胖）先生の本に出合ったのです。彼は『「わかり方」の探究』（２００４）で、「学びがつまらなくなった背景には、三重の遊んではいられない構造がある」と指摘しています。

ひとつ目は、社会における「遊び」と「働き」の区別だと言います。社会の工業化が進むと、人々は労働者として雇われ、客や取引先からお金をもらうためにあくせく働くことだけが「仕事」だと、ハッキリ区別するようになりました。その結果、人々は生活することで頭がいっぱいで「遊んでなんかいられない」ようになってしまいました。

２つ目は、学校における「遊び」と「学び」の区別です。１００年くらい前から「専門的な教育施設」として学校が発達し、そこでの目的は子どもが「勉強」をすることになりました。しかし、まじめな勉強ばかりだと疲れてしまいます。そこで「休み時間」を合間に入れ、「休み時間の間だけは遊んでよい」という決まりをつくってしまったことから区別が始まったのです。

その休み時間には遊んでよい、というきまりをつくってしまったことに端を発している。それ以来、学ぶ（勉強する）ときは遊ばないし、遊ぶ時は、勉強から解放される、ということで、遊びと学びは真っ二つにわかれてしまった。

——ユタカ・サエキ

学校の図画工作や音楽、スポーツの授業中などに時間を忘れるほどのめり込み、「ああ、楽しい！　ずっとやっていたい！」と幸せを感じていた矢先に終業のベルが鳴り、ブチッと断ち切られた経験は誰にもあるはずです。

そういう時というのはだいたい、すごく集中していて、自分でも信じられないくらい最高にうまくできている時だったりします。そういう特別な心理状態が人間にはあることをアメリカの心理学者ミハイ・チクセントミハイ博士が発見し、『フロー体験：喜びの現象学』（1990）でそれを「フロー（flow）」と名づけましたが、まさにフローの最中に「もう！　もっとずっと描いていたいのに！」と強制的に終了させられたことが僕には何度もあります。

そんな時、僕は子ども心に「ああ、図画工作の時間というのは『お勉強』であって、自分の好きなように描いていてはいけないんだなあ……」と思い知らされました。

3つ目は、「自らすすんでする遊び」と「受け身の遊び」の区別です。「遊び」が「仕事」と「勉強」の反対語となった結果、大人は仕事に、子どもは勉強に疲れたからと、仕事や勉強から逃れるために遊ぶようになりました。そして、おもちゃやゲーム、映画、音楽、漫画、アニメ、テーマパークなど、疲れをいやすニーズにこたえる「エンターテインメント企業」が生まれました。

その結果、子どもも大人も企業が「遊ばせてくれる」ことを期待してお金を払い、期待が裏切られると「損をした」と感じるようになりました。遊びはもはやただの消費になり、人々はお金を払う値うちがあるかどうかを確かめずにはいられなくなりました。

サエキ先生は「遊びは、新しい学びや創造、発見などをするための本質的な活動であったにもかかわらず、ただの『エンターテインメント消費』になってしまった」と言います。

小さい子どもを観察してるとよくわかりますが、彼らの世界では遊びと学びに区別はありません。遊びの中で学んでいて、学びは遊び心から生じています。それが、だんだん歳を重ね、学校に行けば行くほど学びと遊びが区別され、遊びや創造の自由はどんどん減っていきます。遊びはあくまでも「ヒマつぶし」であり、「そこでなにかを学ぼう」などという気はまったく起こりません。

さらに大人になると、「学び」は努力して知識や技能を高めていく「職業訓練」ととらえられ、まったく「遊んでなんかいられなく」なります。

しかし一方で、大人でも「遊び」と「学び」と「働き」が一体となったままおもいきり楽しんでいる人もいます。研究に熱中している科学者や、夢中で絵を描いている画家、思うがままに踊ったり演奏したりしているミュージシャンやダンサー、新しい料理を生み出している料理人、おもしろいことを思いついてしゃべりまくっている芸人などです。

彼らは、結果的にはそれでお金をかせげたりもしますが、本人にとってお金は目的ではありません。ただ新しいものをつくり出す探究がおもしろくてしかたないだけです。「これはどういうことなのだろう？」「どうやれば、もっと良いものができるだろう？」など、好奇心で彼らの頭の中はいっぱいです。彼らの知識や技能は結果としてめざましく高まっていますが、本人にとってそれは目的ではなく、楽しいからやり続けていたら生まれた「おまけ」にすぎません。

これらの事実を知り、僕はこう思いました。

どうして多くの子どもは彼らのように、夢中でなにかに没頭したまま大人になっていくことができないのだろう。どうしてわざわざつまんない形で「学力」を高めないといけないのだろう。絶対なにかがおかしいよ。

「遊び」と「学び」と「働き」が区別されたことで全部つまらなくなってしまったということはわかりました。しかし、なぜそういった区別をするようになったのか。そこにはもっと深い背景や理由がありそうです。

ひとつの謎がわかったかと思えば、そこからさらに新たな問いが生まれ、謎はますます深まるばかり。「これは一筋縄(ひとすじなわ)ではいきそうにないぞ」。僕はあらためてこの探究が小旅行などではすまないことを直感し、身ぶるいしました。しかし、ここまできたら引き下がるわけにはいきません。僕は、この謎にひそむ本当の理由をさらに深く探っていくことにしました。

「学び」から「遊び」がなくなり、
つまらない「勉強」になった。
「働き」も「遊び」と分けられて、
つまらない「仕事」になった。
サエキ先生が指摘したこの事実は、
僕の目を見開かせてくれた。

しかも、分けることでつまらなくなったのは、
それだけではなかった。

他にもいろいろなものが分けられたことによって、
人間の生活はさらにつまらなくなったと
指摘した人に、私は出会った。

暴かれた秘密

「遊び」がなくなって、「勉強」や「仕事」というつまらないものになってしまった。

このことは僕にとって、これからの時代の生き方を考えるうえで大事なヒントになりました。時を忘れてなにかに夢中になる時にこそ、生きている実感を感じる経験を誰でもしたことがあるはずですが、そこには必ず「遊び」があります。そして、「遊び」は新しい学びや創造、発見を生み出すためにとても大事な活動です。

にもかかわらず、社会ではよく「これは仕事だ。遊びじゃないんだぞ!」という言葉が行き交っています。もっとマジメにやれ。仕事と関係のないことをするな。もっと手際よく仕事をしろ。そんな言葉のかわりに、「会社には遊びに来ているんじゃない」と上司や先輩は言うのです。しかし、「遊びを一切排除しろ」と言われてやる仕事はとてもつまらないだけでなく、全然クリエイティブではありません。

むしろ、「こっちは遊びなんだ！　仕事より真剣に決まってるじゃないか！」だよね。

同時に、実は「子ども」が「大人」と区別されるようになったことも大きな問題です。子どもが「子どもあつかい」されるようになったことで、子どもたちができることが昔に比べてかなり制限されています。子どもたちは昔を知らないので気がついていませんが、彼らは自らが秘めている力を十分発揮することができない残念な状況にいるのです。

◆

そのようなことについて僕が意識的になったのは、フランスの歴史学者フィリップ・アリエスが『〈子供〉の誕生』（１９６０）という本であからさまにした衝撃的な事実に触れたのがきっかけでした。

この本を夢中で読み進めていると突然、またあの白い閃光が僕を包みました。様々な光景がフラッシュバックのように交錯します。ノートルダム寺院や凱旋門（がいせんもん）のような歴史的な建造物と、白を基調とした石造りのアパルトマン、ガラス張りの近代的なビル――。うずまく光景に、僕はめまいをおぼえました。

気がつくと、僕は大小様々な本がうず高く積み上げられた書斎にいました。机の前には、足を組んで考えごとにふけっている男性がいます。時々、おもむろに古い本を手に取っては、大きな銀ぶちの眼鏡で図版を見つめています。まるで本と格闘しているようなその姿は、見るからになんでも知っていそうです。

ふと、僕の存在に気がついた彼は、眼鏡をかけなおしてこちらをじっと見ました。アリエスさんだ。間違いない。

「私になにか用かね。用件があるなら聞こうじゃないか」

子どもと大人の区別が生まれた経緯を知りたい。そんな僕の想いをどこで察知したのかわかりませんが、彼は僕が質問をする前に語り始めました。

「私たちは、子どもが大人と区別されるのも、子どもは学校で教育を受けるのも当然だと思っている。しかし、それは真理ではないのだよ」

そう言うと、彼は向こうに広がる景色を指し示しました。

「これが中世のヨーロッパだ。まだ、『教育』という言葉も『子ども時代』という言葉もなかった時代だ。子どもは7、8歳にもなると奉公や修業に出て、大人と同じようにあつかわれていた。飲酒や恋愛も自由とされたんだぞ」

7、8歳で飲酒や恋愛⁉ 僕はショックを受けました。

「それくらいの歳になると、言葉でやりとりができるようになるからな。医療が進んでなかったから、赤ん坊の3人に一人は死んでしまうほど死亡率が高かったんだ。だから7歳以下の子

フィリップ・アリエス
Philippe Ariès
（1914-1984）

どもは動物と同じあつかいで、人間として頭数には入れられなかったと言われている。つまり、子どもは7、8歳になってようやく人間あつかいされた、というわけだ」

人間とその他の動物との間にはハッキリとした区別があったけれど、ひとたび人間だと認められてからは、そこに大人と子どもの区別はなかったというわけか……。

すると、アリエスさんは僕の目をジッと見つめ、こう言いました。

「7、8歳にもなれば当然のように仕事場に入り、働きながら仕事に慣れていった。子どもは『小さい大人』として大人と同じ空間にいることがあたりまえだったのだ。ほら、あれを見たまえ」

彼が指差した先の景色を見ると、大人

も子どもに混じって一緒に遊んでいる光景が見えました。

「この時代には、子どもも大人も同じ空間で同じ仕事をする仲間であり、両者は区別されるべきだという考えが生じることはそもそもなかったのだ」

そうだったのか……。ショックを受け止める余裕もないままに、様々な光景が浮かんできます。まず出てきたのは、半袖、半ズボンを身につけた子どもたちが勉強をしている光景でした。

「しかし17世紀になると、子どもは『けがれを知らないピュアな存在』として保護されるようになった。学校教育制度が生まれ、『寄宿舎』や『子ども服』がつくられた。そして、子どもは大人とは異なる存在として、社会からひき離されるようになったのだ」

彼がそう言うと、また別の光景が映し出されました。

「18世紀に入ると、子どもは大人と区別されるだけでなく、『子どもは特殊な存在』なので、それにふさわしいあつかいをされなければならない、と考えられた」

アリエスさんは手に持った本のページをめくり、確認しながらこう解説してくれました。

「そのような考え方は、子どもに対する新しい見方を生み出した。人々は『子どもは未熟だけれど、あらゆる可能性に満ちた愛すべき存在だから、立派な大人に育て上げるためのほどこし、すなわち教育が必要だ』と考えるようになったのだ」

なるほど、そういうことだったのか……。僕はようやく納得がいきました。こうして、愛され、守られ、教育がほどこされるべき『子ども』が誕生したというわけか……。

「そういうことだ。私は、中世から19世紀までの子どもに向けられたまなざしの変化を徹底的に調べあげた。そしてたどりついた結論は、近代以前には『子ども』は存在しなかったということだ。つまり、『子ども』という概念は『発明された』のだよ」

僕は雷に打たれたようなショックを受けました。「子ども」という概念は、発明されたもので、その前までは存在しなかっただって⁉

「『子ども』の発明とは、大人と子どもの間に線が引かれたことを意味する。同じような分割線は『仕事』と『遊び』の間や『公（おおやけ）』と『私（わたくし）』の間にも引かれていった。そしてこの区別こそが人間の生活を貧しくしたのだ」

アリエスさんはこう言うと、再び閃光の中に消えていきました。そして気がつくと、僕はいつものデスクの前に座っていました。

◆

アリエスさんの言葉の数々は、あまりにも僕の常識とかけ離れすぎていて、しかもとても鋭くて、僕はしばらく呆然（ぼうぜん）としていました。

僕はそれまで、区別されるのは良いことだと思っていました。なぜなら、きちんと区別され、特定されることによって、それぞれにふさわしい対応がとられるようになると思っていたからです。しかし、アリエスさんの「いろいろなものがハッキリと分けられてしまったことによって、かえって貧しくなってしまった」という指摘には、ただ圧倒されるばかりでした。

僕はそっと目を閉じ、心から深く感嘆のため息をついたのでした。

ちなみに、昔の日本でも子どもの見方は現代とはかなりちがっていたようです。日本の近世史学者のジュン・シバタ（柴田純）の『日本幼児史』（2013）によれば、古代から江戸時代中期にいたるまで、人々は子どもを守ることや教育することにまるで関心を持っていなかったといいます。道端に子どもが捨てられて泣いていても特に気にする人はおらず、人々の無関心のうちに大勢の子どもたちが死んでいったそうです。

しかし、近代に入ると子どもの教育や福祉に対する関心が高まり、状況は大きく様変わりします。7歳未満の子どもは「神様」であり、神聖なものとしてとりあつかうべきだという「七つ前は神のうち」という言葉が定着していきました。このことから、日本人の子どもに対する特別な愛情も、わりと最近になって形づくられたものだということがわかります。

いずれにせよ、子どもと大人が区別され、遊びと学びと働きが区別され、それが法律など制度によって固定されたことで私たちの社会は貧しくなった。この事実は、ぜひ知っておくべきだと思います。

かつて「小さい大人」でしかなかった
「子ども」は、
特殊な存在として
「大人」と区別されるようになり、
そのことが人々の暮らしと社会を
貧しくした。

アリエスさんが教えてくれたその衝撃
が、僕の頭から離れない。

なぜ、そんなふうに「子どもあつかい」
するようになっていったのか。
そもそも「子どもあつかい」とは
どういうことか。
それが気になった僕は、
さらに深く探ってみることにした。

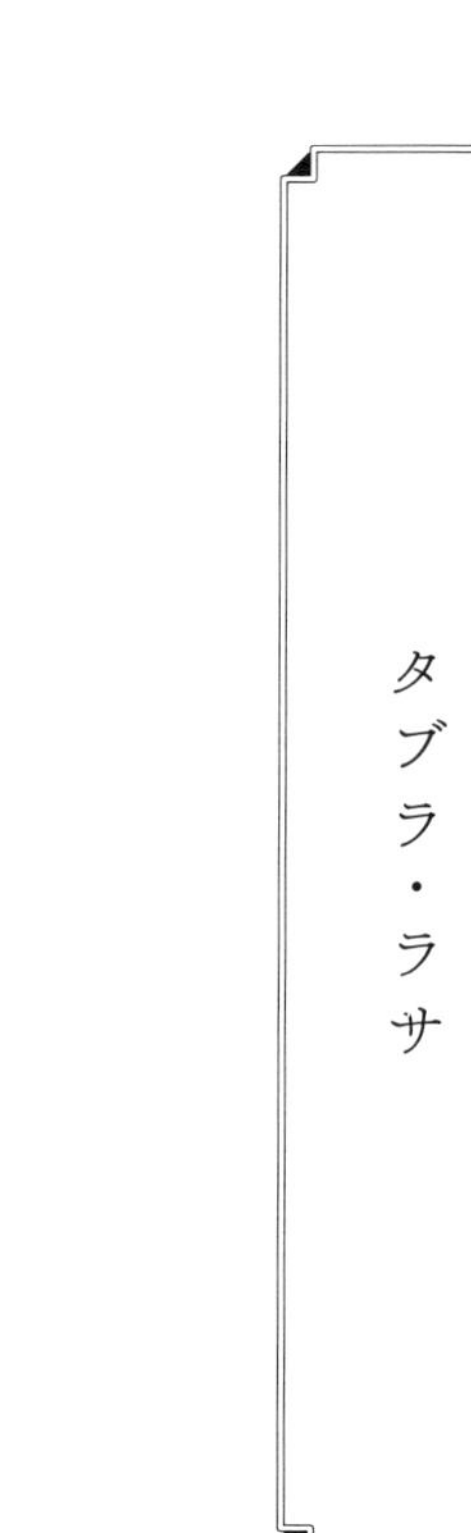

タブラ・ラサ

「子ども」がつくられて、大人と区別されるようになっていった。

衝撃的なその事実はよくわかったのですが、そこで僕の疑問は終わりませんでした。

それにしても、なぜ当時の人たちはそんなふうに子どもを大人と区別するような考えになったんだろう？

そもそも子どもが大人と区別されるようになっていった理由、それはなんとなく僕にもわかるような気がします。「小さい大人」として大人に混じって職場で働いていた当時の子どもは、大人に比べて身体が小さく、ケガや病気にもかかりやすくて、死ぬことも多かった。だから、「子どもは子どもに適したあつかいが必要だ」と考えるようになった。それは自然な発想だと思います。

しかし、子どもを単に大人と区別するだけでなく、それ以上の「特殊さ」を見いだし、「特別なほどこし」である教育を行うべきだと考えるようになったのはどうしてだったのだろうと疑問に思ったのです。

いろいろ探っていくうちに、そのルーツに「近代教育のもとをつくった」と言われるイギリスの哲学者ジョン・ロックの思想があることをつきとめました。哲学者であり医者でもあったという異色のキャリアを持つ彼は「やせていて小柄で、常に病気がちのあまり目立たない人物」だったと伝えられていますが、その思想はとてつもなく大きいものだったと言われています。特に、彼の教育論は人々の認識と世の中のしくみをガラリと変えたといいます。

彼の考えに興味を持った僕は、それが具体的にどういうものだったのかを知るために、彼が残した本や、彼の思想についての評論などを読みあさりました。

◆

不思議なことが起こったのは、『教育に関する考察』（1693）を手にした時でした。どこからともなく、神経質そうだけれども毅然（きぜん）とした声が聞こえてきたのです。

「そもそも、教育は学習とはちがうのです」

その声にハッとした瞬間、あのまっ白い光があたり一面をおおいました。気がつくと、僕の背後に白髪を肩まで伸ばした小柄な男が立っていました。僕の想像した姿とは少しちがっていましたが、ロックさんにちがいありません。彼の背中越しには、建設途中のセント・ポール大聖堂が見えました。

それにしても、教育と学習はちがうってどういうことだろう。疑問を持った僕がなにか言う暇もなく、彼はさっさと話を始めました。

「子どもたちに学習させる前に身につけさせるべきものはなにか。それは習慣です。興味や好奇心を刺激することで、学習へと向かう姿勢や良い習慣を身につけさせることが大事なのです。二度と思い出さないようなクズを子どもたちの頭に詰めこむことなんかに、なんの意味がありましょうか」

学習する習慣こそが教育……。

「それこそが本当の教育なのです。今の教育は、親が子どもを甘やかすばかりで習慣づけもなにもあったもんじゃない。学校はといえば、学ぶことの意味がわからない知識を詰めこむばかり。教師は一方的に、子どもに勉強を強制しています」

なんと……。今の時代とまったく同じじゃないか。びっくりする僕を見つめながら、彼はゆっくりとさとすように話し続けました。

「自ら学習する習慣さえ身についてしまえば、知識は後からいくらでもついてくる。つまり、教育さえきちんとすれば、子どもたちは自ら学習するのです。教師が一方的に講義をしても学習効果はたいして上がらないのだから、いたずらに早く知識を詰めこむのは望ましくないので

ジョン・ロック
John Locke
(1632-1704)

す」

「習慣が人をつくる」とよく言うけれど、ロックさんが元祖だったのか……。

その時、僕たちのそばを小ぎれいに仕立てられた馬車が通り過ぎました。スマートないでたちでさっそうと行き交う若者たちの姿も見えます。にぎやかな町の喧騒が、僕の耳に届いてきました。

「紳士(gentleman)たちです。今や彼らが時代の主役です。これからは、彼らのような社会で活躍できる人間を育てるための新しい教育が求められます。これまでのような、王様や貴族の子どもたちだけが受ける教育はなんの役にも立ちません」

なるほど、だからこそ、「教育をアップデートするべきだ」という彼の主張が多くの人々に支持されたのか……。これは後から知ったのですが、ロックさんはこれらの主張によって「近代教育の原型をつくったすごい教育クリエイター」と言われるまでになりました。

ここで彼は、おもむろに一冊の本を開きました。『人間知性論』（1689）という本です。

そして、こう聞いてきました。

「あなたは、タブラ・ラサ（tabula rasa）について知っていますか？」

タブラ・ラサ？　なんだろう。当時の食べ物かな。

「ラテン語で『磨いた板』という意味なのですが、人間というのは生まれた時はまっさらで、そこにいろいろな経験が書き込まれていく存在なのです。つまり、人間はまっさらな板＝タブラ・ラサなのです」

人間は生まれた時は白紙のような存在!?

「心はまっさらなタブラ・ラサで、そこに観念は少しもないと想定しましょう。心はどのようにして観念を備えるようになるか。こう聞かれたら、私はただ一言『経験から』と答えます。私たちの知識はすべて経験にもとづいているのです」

なるほど……。よくそんな発想が浮かんだものだ！

ほおっと感嘆のため息をつくと、そこはいつものデスクでした。僕はそっと本を閉じると、いろいろと考えをめぐらせるのに夢中になりました。

人間の心がもしタブラ・ラサならば、そこに書き込まれるものは様々なはずです。美しいものが描き込まれればよいですが、そうでないこともあるでしょう。ロックさんのこの考えに影響を受けた人々が「白いキャンバスである人間の心には、様々な美しいものが描き込まれるようにするべきだ」と考えるのも自然だと思います。

実際、現在でも多くの親がこのようなイメージを持っていることは、僕のまわりの親たちを見ていてもよく感じます。子どもが生まれる前までは「子どもはのびのびと育てたい」と言っていた女性たちが、お母さんになると急に教育ママになることがありますが、そこには「この子の真っ白なキャンバスを美しいものでいっぱいにしてあげるのが親の責任だ」という心理が働いているように思います。

その責任感から、「いろんな経験をつませて、いろいろな美しい色でいろどってあげたい」と思いつめたあげく、塾や習い事の予定を詰めこんで子どもを追いつめてしまう親もあとをたちません。大人になってからつかわないような知識をむりやり子どもの脳みそに詰めこませるのは、実はロックさんの考えとは真逆のものに他なりません。

この「タブラ・ラサ」というコンセプトこそが、子どもを特別あつかいするきっかけになったこと。そしてタブラ・ラサというコンセプトが独り歩きした結果、親も子どももどこか苦しんでいることはまちがいありません。

◆

その言葉は知らなくとも、
僕たちの常識の奥深くに刻み込まれ、
今も大きな影響を与えている「タブラ・ラサ」。

ロックさんが生み出したその発想は、
「人は子ども時代をどうすごすべきか？」という
新たなる問いを生んだ。

そして、それに輪をかけるように、
人々が子どもの特殊さに注目するようになる
強烈な決定打を放った人物に出会った。

その人物は、「子どもの発見者」と言われている。

子どもは子ども？

民主主義とはどうあるべきかを説いた『社会契約論』（１７６２）を発表し、「民主主義の父」と言われるジャン＝ジャック・ルソー。

哲学者であり小説家、思想家であり音楽家である彼は、大ベストセラー作家としてもてはやされたかと思えば、危険な思想家として世間からバッシングの対象にもなるような人でした。彼の興味は科学や植物学にまでおよび、とうてい一人の人物とは思えない多才さに驚かされます。

そんな彼の幼少時代は悲劇的なものでした。ジュネーブの時計職人の息子に生まれるも、生まれつきの病弱体質なうえ、生後9日目にして母親と死に別れます。その後、彼が10歳の頃に父が失踪し、奉公に出た兄も行方不明になり、孤児となった彼は牧師のもとにあずけられました。しかし、そこでの生活にうまく馴染めず、牧師の妹に折檻されたり、他の大人たちからもなにかと虐待を受けたりしました。

その結果、彼はグレてしまい、嘘や盗みなど悪いことを繰り返すようになってしまいますが、それでも父から学んだ読書だけはやめなかったそうです。その後、彼は15歳にして流浪の旅に出ますが、南フランスの男爵婦人にかくまわれて定住の地を見つけました。

自分を救ってくれた彼女に恩返しがしたい――。彼はパリで身を立てようと決意します。音楽家としてスタートしましたが、なかなか評価されず、苦しい生活が続きました。しかし、懸賞論文に入選してから評価はガラリと変わり、「思想の巨人」として名をとどろかせます。

そんな彼の教育についての考えがまとめられた『エミール』（1762）は、「エミール」という少年が生まれてから結婚にいたるまで、一人の家庭教師として彼を導いていく教育小説です。その中で、彼の考える理想の人間像をエミールにたくして自分の考えのすべてを語ろうと試みました。

彼の教育についての考え方の最大の特徴は、「あらゆる人に共通して行われるべき教育とはなにか?」という問いを立てたことでした。当時の「教育」といえば、王様や貴族の子どもたちに対して行われるものだけを指し、一般の庶民が受けるものではなかったのです。それに対し、特定の身分や職業のためではなく、すべての人のために必要な教育とはなにかを探究した点がとても画期的だったのです。

富や名声、権力などの評価に左右されず、みんなでつくり上げていく社会の一員にふさわしいマインドを持った人間を育てる教育。それこそが本当の教育であると説いたのです。

王様や貴族が絶大な権力を握っていた時代に、これは本当に先進的な考え方だなあ。さすが「民主主義の父」と言われるだけの人物だ。

◆

『エミール』を読みながらそう感心していると、突然またもあのまぶしい光に包まれました。だんだん意識が遠のいていき、少しばかり眠ってしまったようでした。再び目を覚ました時、僕は薄暗い部屋の窓辺でロッキングチェアに座っていました。

あたりを見回すと、そこはこじんまりとしているけれど大きな格子窓がついた品の良い部屋。僕の目の前には一人の男性が同じくロッキングチェアに座っています。少年のような好奇心にあふれた眼。笑うことが下品とされていた当時には珍しく、優しく微笑む口元が印象的です。インターネットで見たことがある顔立ちは、ルソー本人にまちがいありません。外からなにやらガヤガヤと音がするので窓の下方をのぞいてみると、そこには喧騒(けんそう)にあふれる街路が広がっていました。雰囲気のある石造りの街並みとは対象的に、無数の煙突からたちのぼる煙と、一目で悪臭に満ちているとわかる路地。行き交う馬車の車輪のきしむ音に重なる馬の鳴き声。そして、雑踏(ざっとう)にかき消される乞食(こじき)たちの叫び声。

もの珍しそうに眺めていた僕に、彼が語りかけてきました。

ジャン＝ジャック・ルソー

Jean-Jacques Rousseau

（1712-1778）

「18世紀のこの時代、人間の文明はこれまでになく発展した。しかし結局、それは人間を歪ませ、堕落させてしまったんだ」

ルソーさんは僕の隣に立つと、ため息まじりに窓の外を見下ろして言いました。

「もともと人間は、満ちたりている純粋な精神の持ち主だった。しかし、土地を耕し、家畜を飼い、耕作をして文明をつくっていくうちに、個人が土地やお金などの財産を持つことを国が認めるようになり、不平等が生まれてしまった。その成れの果てが、今君が見ている光景だよ」

彼は話を続けます。

「社会に不平等が広がると、強い者と弱い者の対立が強まり、人間は本来持っていた良さを失い、まわりの目を気にしながら生きる『社会の奴隷』になってしまう。今世間で『教育』といわれるものは、いつも他人のことを考えているように見せかけながら、実は自分のことしか考えないような人間をつくっているばかりだ」

それは僕たちが生きている21世紀もまったく同じだ。彼の発言に、僕も考えこまずにはいられませんでした。

「とかく世の中はおかしなことばかりだ。こんな社会に子どもをそのまま投げ出すと、まちがいなく歪んだ人間になってしまう。だからこそ、ある年齢までは社会からひき離して保護する必要がある。社会に合わせる人間を育てるのではなく、むしろその圧力からいかに子どもを守るかを考えないといけない」

そう言うと、彼は真正面を向いて、ひときわ冴え渡る声でこう言いました。

「子どもは大人ではない。子どもは子どもなのだよ。わかるかい？」

もしかして、アリエスさんが言っていた「子どもと大人の区別」を最初に言い出したのはルソーさんだったのか⁉　しかも、「社会に合わせる人間を育てるのではなく、いかにその圧力から守るか」だって⁉

僕は驚きを隠せませんでした。なぜなら、社会にうまく合わせられる人間を育てるのが教育だとばかり思っていたからです。彼は、僕に言い聞かせるように話を続けました。

「赤ちゃんは成長するにつれて自然に手足を自由に動かせるようになり、言葉を覚えるようになるだろう？　これが人間の『自然』だよ。人間にもともと備わっている『自然』を大切にすることによって、本来の人間のあり方を引き出すこと。それが私の考える『教育』なんだ」

「本来の人間のあり方を引き出す教育」って、どんなものだろう。そんな質問を投げかけたくなった時、彼はそれを察知したのか、すぐにこう答えてくれました。

「私の考える教育とは、たとえば、自分の体を自分の意志どおりにコントロールする技術を身につけることなどだよ。その他にも、外の世界の情報を正確にインプットする感覚の訓練であったり、自分が持っている力を最大限にアウトプットする訓練なども重要だね。あとは、自分の意志ではどうにもならないことがあるということを実感するのも大事」

ううむ……。これは僕もまったく同感だなあ。

「そのためには、子どもの時期をどういうふうにすごさせるべきだと思う？」

今度は彼が僕に質問をしてきました。少し考えて答えようとした矢先、彼は僕の返事を待たずにすかさず続けました。

「子ども時代、特に小さいうちは、自然の成長をゆっくりと待たなくてはならないんだ。ロック氏が言うような『良い習慣づくり』なんかじゃないと思う。そうではなくて、自然にふれることによって感じとることができる『実感』を身につけることが大切だと思うんだよ」

うわ！　ロックさんを否定してる！　すげえな、ルソーさん……。僕は思わずそうつぶやきました。

「実感をともなってないのに、言葉だけ覚えても、そんなのなんの意味もないどころか、むしろ害となるだけだよ。そう思わないかい？」

たしかに……。言葉や情報だけでわかった気になるな、本場で体験したり現場で確かめたりしないとダメだ、って僕も自分によく言い聞かせてるもんな……。そう言われると、すごくピンとくる。ルソーさん、さすがだ。

すると、彼は大きな眼をさらに見開き、ちょっと挑発的な笑みを浮かべながら、僕を諭すようにこう言い放ったのです。

「いいかい。だから、子どもたちには、少なくとも12歳までは本を読ませるべきではないと私は思うんだ。なぜなら、実感を身につける訓練に、本はまったく必要ないからだよ」

ええっ⁉　12歳まで本を読むなだって⁉

あまりにも驚いて、つい声が出てしまいました。僕の反応を見た彼は、満足げな表情でさらに続けました。

「『もともと人間が持っている素晴らしさを失わずに育てるためには、どうすればよいか？』』。私はこの問いを考え抜いたんだ。その中で『子どもはどのように大人になっていくのか？』という問いに行き着いた。しかし、ロック氏が唱えた『タブラ・ラサ』では、それを十分に説明できない。なぜなら、人間は生まれた時はまっさらな白板だと言うだけでは人間の本来の姿をうまく説明したことにならないからだよ」

どうしてだろう。僕にはその言葉の意味がすぐにはわかりませんでした。すると、ルソーさんは次のように断言しました。

「人間の本来の姿、それは私がつかっている『自然人（natural man）』という概念で説明できる」

自然人……？「あの人はすごくナチュラルでいいね」とか言うけど、自然体とかそういう意味？それとも「天然な人」ってこと……？僕が自然人の意味がわからずモヤモヤしていると、彼は説明をはじめました。

「自然人とは、どんな文明にも毒されていない自然な状態の人間をいうんだ。これは私が人間の本質に迫るためにつくりあげたコンセプトなので、実際に存在するわけではない。まあ、太古の原始人のような人たちをイメージしてもらえばいい」

人々が文明に毒されていない状態……？彼はさらに話を続けます。

「なぜ不平等が生じるのか？それは人間が、必要以上になんでも欲しがるからだよ。しかし自然人は、生きていくのに必要なもの以上になにかを欲しがることはない。自然人はお互いに自立し、平等で、完全に自由だ。他の人間を支配し、従わせることもない。自分だけで満ち足りていられるんだ。さて、ここでひとつ質問だ。文明が発展して久しい今の世界にも、実はこういう自然人は存在している。それは誰だと思う？」

えっ⁉ 文明社会にも自然人はいるの⁉ 誰だろう……。僕は考え込んでしまいました。不平等があたりまえの世界で、文明に毒されていない人間なんて、本当にいるのだろうか。彼は僕が考えあぐねているのをよそに、言葉をつむぎ続けます。

「子どもだよ。人間は生まれた時はみんな自然人なんだ。その自然人である子どもをこの文明社会の中で歪(ゆが)められることなく生きられるようにすること。そして、本当の意味で自由でありながら平等な社会の一員として民主的な社会をつくりあげていくこと。それこそが教育だと私は確信している」

彼はそう言いきると、再びロッキングチェアに深く腰かけました。それと同時に、あたりが白い閃光に包まれはじめました。薄れゆく視界の中で、彼の最後の言葉が聞こえてきました。「植物は栽培によって、人間は教育によってつくられるんだ」

◆

ルソーさんは「自然人」というコンセプトによって、特別な存在としての子どもを際立たせました。つまり、子どもの生活には大人とはちがった意味があると主張したのです。そのため、彼は「子どもの発見者」と言われるようになりました。

そして、子どもの自然な発達を保護し、自律的な成長をさまたげるものを取り除くことが本当の教育だと主張しました。それを、植物の栽培というたとえをつかって語ったのです。植物は水分がとれなくなると、なんとか生きのびようと、より強くなると言われています。それが自然だとすると、子どもたちが自力で生きようとするのを支援し、悪い影響から守ってやることがルソーさんの言う教育なのでしょう。

『エミール』は教育のバイブルとして今も多くの人に読まれていますが、当時としては考えが斬新（ざんしん）すぎて、教会から激しい批判を浴び、出版禁止になってしまいました。政府からも逮捕状がでて、フランスを追われた彼は亡命生活を余儀なくされました。

民主主義がなかった18世紀の当時、「子どもの特別さに注目して教育を行うことが、民主主義社会をつくりあげるための第一歩であり、そして最終到達点でもある」と考えたのは本当にすごいと思います。

なんというコンセプト！　どうやったらこんなオリジナルな構想を思いつけるのだろう!?　もうこれ以上、ルソーさんの考えを超えるものはないんじゃないかな……。

彼の斬新な発想と理論に圧倒され、僕はそれからしばらくフリーズしていました。

しかし、少し時間が経ってから落ちついて考えてみると、やっぱり考えなおすべき点があるように思いました。子どもは特別であるという考え方が、結局は子どもと大人の区別を生み出し、遊びと学びの区別を生み出し、アリエスさんが言うように「人間の生活を貧しくしてしまった」と、やっぱり僕は思うのです。

このような問題がある以上、彼らの思想を根本から見なおすべきじゃないかな。でも、どこからどう見直したらいいのか見当もつかない……。うーむ、なにか手がかりはないかな……。

そんなふうにモンモンとしていた時、「学校が子どもたちの創造性を殺している」と指摘したイギリスの教育評論家ケン・ロビンソンの言葉に出合いました。彼は、ルソーさんの言葉をもじって次のように語っていたのです。

庭師は植物を育てない。庭師の仕事は、花が開く条件を整えることだけだ。

——ケン・ロビンソン

僕は、おお、これだ！　とひざを打ちました。ここにこそヒントがあると思ったのです。

子どもたちが堕落した文明に染まる前に、
しっかりとした人間性を
身につけることこそ教育だ。

それがルソーさんのロジックだった。
この思想を受けて、
労働で苦しめられている子どもたちを
工場から救い出して学校をつくった
すごい起業家に出会った。
その人は、
「世界で初めて子どもの学校をつくった人」
と言われている。

子どもを書物でいじめるな

ロックさんやルソーさんの考えに影響をうけ、それを実行にうつしたのがイギリスの実業家ロバート・オーウェンです。

彼は、繊維業でイノベーションを起こして大成功した起業家であると同時に、人々の働く環境を改善した改革者であり、「世界で初めて幼児学校をつくった人」でもありました。僕は彼の著書『オウエン自叙伝』（1857）を通じて彼の生い立ちをたどりながら、学校がどのようにして今の形になっていったのかを探ってみました。この本が、次なる僕の冒険の書となったのです。

時は18世紀。産業革命がイギリス全土に広がりつつあった時代に、オーウェンは商人の家に生まれました。10歳の頃自分からすすんでロンドンに上京し、繊維関係のお店で奉公を始めました。その時の経験をもとに、当時発明されたばかりのミュール紡績機を買い、自分の工場をつくって事業をスタートしました。

事業がまたたく間に成長するのを見た業界の大物は、マンチェスターにある500人の工員が働く最新工場の支配人にオーウェンを抜擢しました。彼はその期待にこたえ、製糸の技術改良に熱心にとりくみ、仕入れの産地をかえて品質を高めました。また、優秀な工員に給料をたくさん払い、どんどん仕事をまかせて彼らの心をつかみ、めざましい業績をあげました。その後、妻の父からスコットランドの工場を買いとって「ニューラナーク紡績会社」を設立、29歳でジェネラル・マネージャーとなりました。

すごいな！ 当時の繊維業は最先端の産業だから、彼は今で言うスティーブ・ジョブズやイーロン・マスクみたいな人だったんだろうなあ！

◆

『オウエン自叙伝』をここまで読み進め、同じ起業家として尊敬できるなあと感心すると同時にちょっと身近にも感じ始めた時、またも鋭い閃光がほとばしりました。まぶしさに目を手でおおいながらも、「もしや」と思って再び目を開けると、そこに一人の紳士が立っています。おお、ロバート・オーウェンさんだ！ 僕はひと目でそう確信しました。

「産業革命のおかげで、当時のイギリスの繊維業は世界でも最先端でした。しかし、そのおかげでお金持ちと貧乏人の差がすごく開いたんです」

そう言うと、彼は向こうの景色を指し示しました。そこには、職がなくて道端に座り込んで安いジンをかっくらって暴れている人、食うに困って盗みを働いて逃げている人などであふれ返るスラム街が見えます。

「彼らは皆、産業革命で農地を失った農民や、機械の発明によって仕事を失った職人たち。失業で犯罪が増えて、スラム街ができてしまったんです。しかし、彼らが悪いわけではありません。世の中の貧困や犯罪は、社会の構造に問題があるととらえるべきだと僕は思います」

貧困や犯罪は社会の構造の問題……。労働組合も社会保障も福祉（ふくし）もない時代に、オーウェンさんはそんなふうに考えていたのか……。

ウィリアム・ホガース作
「ジン横丁」
Photo by Barney Burstein/Corbis/VCG via Getty Images

「犯罪を犯した者に罰を与えても、それでは本当の解決にならない。それよりも、社会そのものを改良することによって、貧困や犯罪をなくしていくことが大事と思うんです」

なるほど。しかし、どうやって社会を改良しようと思っているのだろう。そう聞こうと思った矢先、彼は僕をまっすぐに見つめてこう言いました。

「いちばんの問題のもとは、働く環境が悪いことにあります。人間の性格がつくられるのはその人をとりまく環境なので、環境を整えない限り、問題はけっして解決しません。だから僕は、僕らの工場の従業員の生活全体をサポートする環境をつくりました」

そう言うと、彼は別のほうを指差しました。川沿いのレンガづくりの工場のまわりにこぎれいな従業員の住宅があり、人々がそこで安心した様子で暮らしています。住宅地の中には小さなお店もあり、お母さんたちが日用品の買い物をする姿も見えます。ニューラナーク工場には、生活に必要なものをまとめて仕入れ、従業員たちが安く買えるしくみがあるようです。

あ！　これって今の「生活協同組合（Co-op）」じゃないか！　これもオーウェンさんが生み出したの⁉　彼はもはや、起業家というより社会改革者だな……。

僕が興奮していると、彼は微笑を浮かべ、こう語りかけてきました。

「従業員の働くモチベーションが低いのは彼らのせいではなく、彼らが働く環境のせいであり、彼らにはなんの責任もありません。責任を負うべきなのは経営者なのです」

強い決意がにじむ彼の言葉は、僕の心を打ちました。自分は儲かっているからいいやと現状に満足せず、人々が困っているのを社会や時代のせいにせず、経営者である自分にこそ責任があるという彼の姿勢に、同じ経営者として心から尊敬せずにはいられませんでした。

同じ起業家として、僕も彼のようにできるだろうか……。彼のようにふるまうなら、僕は今なにをするべきだろう……。

すると、彼は僕の目を見つめながら、こう問いかけました。

「社会を良くするためにいちばん大事なとりくみは、なんだと思います?」

えっ⁉ なんだろう……。えっと、僕は教育を変えることだと思っています……。一瞬迷いながらも毅然（きぜん）と答えようとした矢先、彼はさっと手を上げました。新たに映し出された光景は、幼い子どもが大人にまざって工場の機械を操作しているものでした。その小さな体を活かして、大人が入れないような狭いところに入り、汗だくになりながら石炭の運搬や機械の修理などをしている子どももいます。

「ニューラナークでは、500人ほどの子どもが工場で働いています。しかし彼らをとりまく環境は、とうてい彼らの成長にふさわしいものではありません」

大人と子どもの区別がなかったとアリエスさんが言っていた世界だ。僕はピンときましたが、しかし子どもたちの過酷（かこく）な労働ぶりには心が痛みました。

「だから僕は、10歳未満の子どもの労働を止めさせたんです。子どもたちを危険な工場から引き離し、子どもをあつかうのがうまい人たちに世話をさせ、親は子どもをそこにあずけることで安心して働ける環境をつくることにとりかかったのです」

彼に魅せられた僕は、夢中で彼の言葉を聞き続けました。

ロバート・オーウェン
Robert Owen
(1771-1858)

「1816年に敷地内に理想の学校を設立しました。最大の特徴は、1歳から6歳までの幼児をあずかる『幼児学校（Infant School）』を設けたことです。僕の知る限り、これが世界最初の子どものための学校のはずですよ」

彼は少し自慢げに言うと、確信に満ちた声でこう断言しました。

「社会を良くするためにいちばんいいとりくみは教育、特に幼児教育だと思うんです」

そう話すやいなや、オーウェンさんは再び手を空中に振りました。目に飛び込んできたのは、たくさんの幼い子どもたちがダンスをしたり、広い芝生の上を走り回ったりしながら、自由に遊んでいる光景でした。

「この学校の目的は、悪影響から子どもを守り、上質な生活をさせることです。子どもたちがより良い生活を送ることができれば、より良く成長するはずですから」

ここで僕は、ルソーさんの「悪影響から子どもを守る」と言う言葉を思い出しました。

もしかして、オーウェンさんはルソーさんの影響を受けているのだろうか。すると、彼はそれを肯定するでも否定するでもなく、こう答えました。

「僕は教師たちに、次のことをかたく守らせました。子どもたちを書物でいじめるな。身のまわりのモノのつかい方や性質を教えるのだ。子どもたちに好奇心が生まれ、質問してきた時に、くれぐれもうちとけた言葉でね、と」

それってルソーさんが説いた実物による教育、つまり「自然の教育」ってやつじゃないか！

そう気づいた僕は、彼の真意がよくわかってきた気がしました。

「読み書き計算はもちろん、歴史や地理などにいたるまで、本をなるべくつかわないようにしました。『実感』を身につけるための専門器材をつくったりもしましたよ。社会がなんと言おうと、自分たちの信じるやり方を貫いたおかげで、実際すぐに成果が出始めましたね」

やっぱり環境によって、人間は変わるんだ。それにしても、僕自身も以前から感じていたことをすでに実践して、素晴らしい結果を残した人がいたとは……。感動にひたる僕の様子が伝わったのでしょう。彼はさらに語りかけてきました。

「それだけじゃありません。世界初の運動場や屋外学習プログラムなどを発明したのも実は私です。これは、ロックさんがおっしゃっていた『良い習慣のもと、良い経験をつむことで健全な精神が育まれる。健全な体があってこそ、良い習慣が身につくのだ』という考えを受け継いで考案したものです。これも子どもたちに大好評です」

たしかに彼はロックさんやルソーさんの考えも受け継いでいるけれど、「良い環境をととのえること」の大事さを強調している。これは工場を経営して実感した彼独自の考えなのだろう。そんなことを思っていると、彼は穏やかに微笑んだように見えました。

「人間の性格は本来、善(よ)いものですが、生まれた後の環境によっては悪くもなります。だからこそ、幼児期に良い環境を与えることによって、良い性格形成を促す必要があると思うのです」

そう言うと、再び閃光が現れ、彼はその中に消えていきました。そして僕もまた、ニューラナークの世界から再び自分のデスクの前に戻っていきました。

◆

人々の働く環境、子どもの学ぶ環境、暮らす環境のすべてを同時に改善し、それらを街づくりにまで発展させたロバート・オーウェン。どれかひとつを改善するだけではダメで、人間をとりまく環境全体を変えることによって社会を改良しようとする彼の総合的なアプローチは、たいへん画期的であったと言えるでしょう。

そして、その姿勢は今を生きる僕たちにも、大いに参考になります。

オーウェンさんが現代に生きていたら、どんなふうに社会を変えようとするだろうか。

この問いは僕にいろいろなインスピレーションを与えてくれます。

ロックさん、ルソーさん、オーウェンさん。
この3人が、現代につながる教育に
大きな影響を与えたことがわかった。
彼らはその当時、画期的な教育の改革をした
イノベーターだった。

しかし、その想いや情熱は時間が経つにつれて、
彼らが思いもよらない
皮肉な反作用を引き起こすことになった。
そのことについての僕の考えをここに記した。

守られる存在にサヨナラを

現代につながる教育思想のオリジナルはロックさんによってつくられました。彼は「人間はまっさらなタブラ・ラサだ」と考え、「子どもたちに無理やり勉強をさせないで、彼らが自らすすんで学ぶよう習慣づけること。それが教育だ」と説きました。このアイデアが多くの人々に受け入れられたことが、「子どもは特別な存在だ」と注目されるきっかけになりました。

それに対し、ルソーさんは「自然人として生まれてくる子どもを、文明社会の中でゆがめられることなく育てることこそが教育だ」と説きました。その結果、子どもがいかに特別な存在かということが理論化され、子どもと大人が完全に区別されるようになりました。

その後、ロックさんやルソーさんに影響を受けたオーウェンさんは「小さい頃から良い環境を与えることによって、良い人格がつくられる」という考えにもとづき、世界初の幼児学校などをつくり、現代につづく学校のモデルをつくり上げました。そして、子どもを保護するという名のもとに、子どもたちを学校に囲いこむことが正義だと考えられるようになったのです。

3人がなぜそのように考えたのか、どういう想いでそれにとりくんだのかを一つひとつ見ていくと、当時いかに画期的で意味があったのかがわかる。

たしかに、彼らはすごいイノベーターでした。これだけを見れば、「いったいどこがいけないの?」と感じられます。

しかし、これらが子どもを「子どもあつかい」するもとになったのです。「子どもは純粋で愛すべき存在だから、理性的で立派な大人に育て上げるための教育が必要だ」というのは、「子どもは未熟で劣っているので、大人が教育を施して導いてやる必要がある」と見下しているとも言えます。つまり、彼らの子どもに対する見方は、上から目線なのです。

こうして子どもあつかいされるようになった結果、「児童労働はいけない」という大義名分のもと、子どもは大人になるまでほとんど社会に関わることができなくなりました。たとえば、子どもが学校の運営に参加して自由に意見を言い、なんでも変えることができる権利があるか? 子どもが街づくりなど行政に関わる権利はあるか? などと聞かれて「はい」と言い切れるところは、どこにもありません。

人種差別をなくそうという動きは、1950年代のアメリカの公民権運動をきっかけに始まり、多くの国で人種差別を禁止する法律がつくられました。また、女性差別をなくそうという動きも1980年代の国連決議をきっかけに世界中に広がりました。これらのとりくみには、世界中のほとんどの人々が賛同しています。

しかし、子どもの差別については人々はあいかわらず「まあ、それは区別されてもしかたないよね」と考えています。「しかたないよね」。これこそが差別の最たるものです。子どもの差別こそ、「人類の最後の差別」だと僕は思います。

子どもの権利は大人と完全に同じにするべきだよ。そのうえで、もしなにか必要があれば、個別に考えればいい。今の延長で改善してもダメだって。

私たちの社会を見わたしてみると、「健康な大人」を中心にいろんなことが設計されていることに気づきます。たとえば、設備のデザインひとつとってみても、すべて大人の平均身長をもとに設計されています。カウンターの高さ、イスの高さ、棚の高さなどすべてそうです。それらは子どもから見れば明らかに高すぎて、大きすぎて、重すぎて、彼らだけではうまく利用できないようになっています。

そして大人は子どもがうまくつかえないのを見て、「ああやっぱり大人のサポートがいるよね」「子どもにはまだ早いよね」と評価を下します。こうして「子どもは大人のサポートがないと一人ではなにもできない守られるべき存在なのだ」と、子どもたちを弱い立場に追いやっているのです。彼らにフィットしていない環境をつくっておいて、「ほら、うまくつかいこなせないじゃないか」と言うのは明らかにフェアではありません。

アリエスさんが明らかにしたように、昔は子どもも大人と対等でした。しかし、子どもが区別されるようになってからは、子どもの不平等があたりまえになったと見ることもできます。それが、アリエスさんの言う「子どもと大人が区別されたことにより貧しくなった」という言葉の本当の意味でしょう。


まずは、権利を主張することができない弱い立場の子どもにつけられた「守られるべき存在」というレッテルを取り外し、子どもが望むこともきちんと社会に反映されるようにするべきだよ。


そして、ロックさんやルソーさん、オーウェンさんをはじめとした教育者たちが、子どもに対するこのような見方の上に教育をつくり上げたからこそ、教育がつまらないものになってしまったとも言えると僕は思います。

そして、これは本質的に「健常者」が「障がい者」を見つめるまなざしと同じです。

私たちの多くは自分たちのことを「健常者」だと考えています。その「健常者」である私たちが障がい者手帳を持っているような「身体的な個性」がある人に出会い、もしなにか困っている様子があれば当然、手を差し伸べようとするはずです。そして困りごとが解決すれば、よかったよかったと笑顔で別れるでしょう。

「障がい者の方だから、お手伝いしてさしあげなきゃ」という考えで手を差し伸べているのではないか。「自分は健常者であり、あの人は障がい者だから、サポートするのが当然の義務だ」という考えで接しているのではないのか。

「障がい者」は決して「障がい者」ではありません。「身体的不具合」は本来、「身体的な個性のひとつ」にすぎないはずです。にもかかわらず、それを「かわいそうな人」と見なして「障がい者」をひとくくりにしているのは私たちなのです。

もちろん、だからといって皆さんを責めているわけではありません。僕が言いたいのは、「私たちはいわゆる障がい者を『健常者である自分たち』と無意識に分けて見つめていないか？」「そして、それはあまりにも当然すぎて、考えたことすらなかったということはないか？」ということなのです。

「AかBか」のような分け方で物事を見るのは、ひとつの基準だけで物事を判断するということに他なりません。そうではなくて、僕は子どもも大人もなく、健常者も障がい者もなく、ただ「社会にはいろいろな個性を持ったいろいろな人がいる」ということを前提に社会のすべてをつくり直していけばいいと思います。

つまり、教育を変えたければ、まず子どもの見方を変えるところから始めればいいということが言いたいのです。「子どもを子どもあつかいしない」のはもちろんのこと、人間にあるのは一人ひとりの個性だけで、ただそれを愛(め)でるだけでいい。そして、同じ分野に興味や好奇心を持つ人たちが、好き好きに集まって一緒に学び合う多様な場があればいい。今、必要なのは、そういう学びの場だと思うのです。

私たちが子どもを見つめるまなざしを変えることができた時、「学び」は再び「遊び」に戻ることができます。すなわち、私たちが一人ひとりがみんなちがうということを愛でることができるようになった時にこそ、学びはおもしろさを取り戻すことができるのだと思います。

Q どうして「遊び」と「学び」や「仕事」を区別する考え方が浸透したのか？

つまらない勉強を強制させられる学校は、ストレスの多い環境になりやすく、いじめや不登校を生み出す温床（おんしょう）となっています。この状況は深刻化するばかりで、学校の最大の問題です。学校の勉強がつまらない理由、それは前の章で探った理由に加えて、「学び」から「遊び」が切り離されてしまったからだということをサエキ先生に教えてもらいました。それと同時に、「子ども」が「大人」と分けられたことも大きな要因だということをアリエスさんに教わりました。そこで、どうしてこれら4つが切り離されていったのかを探ることにしました。

すると、それはロックさんが子どもをまっさらな板にたとえて、彼らに学びの良い習慣をつけさせることが「教育」なのだと、教育の意味を変えたことに始まったのだとわかりました。また、ルソーさんが子どもは単なる小さな大人ではなく、特別な存在だと新しい意味を見いだしたことも知りました。そして、オーウェンさんが学校に「性格形成の場」という新しい意味をつけ加えたことで、「子どもは学校で保護されて教育を受けて育ち、社会で活躍する準備をする」という教育の枠組みができあがっていったこともわかりました。

これらの教育の改革者たちの影響で「大人」と「子ども」の間に引かれた線は、その後、「遊び」と「学び」と「仕事」の間、「公（おおやけ）」と「私（わたくし）」の間などにも引かれていき、それらの区別が「人間の生活を貧しくしてしまった」と言えるでしょう。

なぜそうやって線が引かれていったのか。それは、次の章でくわしく探りますが、社会の産業化が進んだからです。産業社会は人々になにかの専門家になることを求め、なんでもどんどん細分化していきます。そうした性質が、このような線引きをしていくのです。

あらゆるものが分業されるようになると、人々は労働者として専門的な知識や技能を伸ばすことを求められるようになります。人生のすべてに生産性や効率を求める考えにとらわれた私たちは、お金をかせぎ続けるためにおもしろくもない仕事をして人生の大半を過ごし、将来に不安を感じながら生きています。その厳しい実力主義は当然、学校にも伝わり、ますます「学び」から「遊び」が取り除かれるようになっていったのです。

ロックさんやルソーさん、オーウェンさんがその時代に考え行ったことは、当時はとても画期的で意味のあることでした。

しかし、それらは時代の移り変わりとともにマイナスに働くことが増えています。それは決して、彼らのせいではありません。彼らがなぜそう考えたのかを深く理解せず、批判する姿勢も持たず、ただ思想をなぞり続ける私たちの思考停止にあるのです。

第 3 章

考えを口に出そう

THINK OUT LOUD

なぜ大人は
勉強しろっていうの？

学びは本来自由なものであり、
好きに学んでいいはず。
しかし、それは学校が許してくれない。
それどころか、「勉強」をしろと言ってくる。

なぜ「勉強」をしないといけないのだろう。
なぜ大人は「勉強しなさい」と言うのか。

「勉強しておかないと後でまずいことになる」
その「まずいこと」って、いったいなんなのだろう。

能力という名の信仰

子どもたちはこぞって学校や塾に通わせられている。親たちはみな、「学力を高めるために必要だから」と言う。でも、そもそも「学力」や「能力」ってなんだろう。

僕はこの根本的な問いを探るために、ふたたび様々な文献や論文などをあたり始めました。そして、人間の知能や身体能力などを測るようになっていった歴史をたどる中で、19世紀の統計学者フランシス・ゴルトン博士が書いた『遺伝と天才』（１８６９）という本に出合いました。その本を手に取り、なかばまで読み進めた時でした。不気味な赤い光がゆらゆらとあたりを包み始め、僕はだんだんもうろうとしてきたのです。

◆

気がつくと、そこはロンドンでした。道なりに歩いていくと、ちょっとした広場に出ました。男がひとり、僕を待っていました。

「やあ、私がフランシス・ゴルトンだ。知ってのとおり」

「ゴルトンさん、能力ってそもそもなんなのだろうって考えていたところなんです」

「ふむ。私は、人間の個人差を研究しているのだよ。『優生学（eugenics）』という学問でね。これは悪い遺伝がひきつがれないように気をつけながら、良い遺伝だけを残して人間を改良することによって、人類の『進化（evolution）』を加速させようという科学の一大ムーブメントだ。素晴らしいだろう？」

その威厳（いげん）のある声と姿に押されて、僕はなにも話すことができませんでした。

「私の書いた『遺伝と天才』にもあるとおり、人間の持つ才能は遺伝するのだよ！」

彼の声が誰もいない広場中に響きわたりました。

「いいかね。脚の速い馬のオスとメスを選んで子どもを産ませていけば、もっと脚の速いサラブレッドが生まれるだろう？　同様に、人類も優秀な男女を選んで数世代にわたって子どもを産ませていけば、さらに優秀な才能を持つ人類をつくり出せるはずなのだ。敬愛するチャールズが10年前に発表した『種の起源』で述べているように、これは自然界の絶対的な法則。まちがいないのだよ」

彼は僕のことなどおかまいなしに主張を語り続けました。

「ということは、わかるかね。人間を選択的に『進化』させることによって、社会を『進化』

させていけるのだよ。優秀な男女だけで子どもをつくり続けていけば、最終的には優秀な人類で満たされ、社会全体が良くなっていく。進化論で言われているように、弱い者は放っておけば淘汰される。だから、貧乏人や社会的弱者を保護するような社会政策なんかやめたほうがいいのだ！」

彼の声はどんどん熱を帯びてきて、僕は圧倒されるばかりでした。

「どうだい、素晴らしいだろう。私の研究に協力してくれるかい？」

男の手がすっと伸びてきて、僕のそでをぐいと引きました。

なんということだ！

僕は、後ずさりしながら思わず心のなかで叫びました。

「うわっ!!　信じられない!!　社会を良くするために人間を品種改良するって、マジでヤバくない⁉」

なかばパニックになりかけた時、白い閃光が走り、気がつくと僕は部屋のソファから立ち上がっていました。

◆

「能力」の起源、それは優生学にありました。人間の個人差を測るところから出発し、優劣が生まれる原因に「遺伝」と「進化」というコンセプトを当てはめて研究する中から、次第に「能力」という概念が生まれていったのです。

ちなみに、ゴルトン博士は進化論を発表したイギリスの生物学者チャールズ・ダーウィン博士の年下のいとこで、その影響を受けてこのような思想をつくり上げたと言われています。こうした社会思想を「社会進化論（Social Darwinism）」といいます。

社会進化論と優生学の実証研究は、帝国主義の時代の植民地政策を正しいもののように見せたり、ナチスがユダヤ人を迫害する時の根拠となる理論としてもつかわれたりしたと言われています。

あらためて「能力（ability）」とはなにかを考えてみましょう。ズバリ結論を言うと、「能力」とは「知能（intelligence）」を測る「知能テスト」が一般に広まったことによって生まれた統計的な概念です。そして、ただの統計上での数字でしかない「能力」を、まるでそれが存在するかのように考えるようになった「信仰」の一種なのです。

僕は能力信仰がどのように生まれ、どう発展していったのかを探りました。そして、ついにその直接の起源をつきとめました。

それは、フランスの心理学者アルフレッド・ビネー博士とセオドア・シモン博士が１９０５年に開発した「知能指数（ＩＱ＝Intelligence Quotient）」を測るテストです。このテストによって「知能（intelligence）」という概念が生まれました。このテストは知的障がい児を見分けるためにつくられたのですが、第一次世界大戦中にアメリカの心理学者のロバート・ヤーキーズ博士が開発した「アーミー・アルファ／ベータ」が１７５万人の米軍兵士の配属を決めるのにつかわれたのを皮切りに、アメリカの優生学者のカール・Ｃ・ブリガム博士が作成した大学入学試験用のＳＡＴ（Scholastic Assessment Test）などに応用され、企業や学校などを通じて世界中に広がっていきました。

こうして、人々は統計的な数字でしかない「能力」を、「人それぞれが生まれ持った特殊なもの」や「磨けばさらに高まっていくもの」のように考えるようになったのです。

さらに、人々が「能力は実体として存在する」と考えたことにより、それをあがめる「能力信仰」が生まれ、人々の間で信じられるようになっていきます。

能力が実体として存在すると考えるだけじゃなく、「信仰」されるところまでいってしまったのは、いったいなぜなんだろう？

その理由は、私たちが生きる産業社会との深い結びつきに見いだすことができます。

産業社会の最大の特徴は「分業」です。効率を高めるために仕事をこま切れにし、専門をとことん追求します。実際、工業生産は分業と機械化によってめざましく成長しました。そこで、工場で働く人間も専門的な知識や技能を伸ばすことが求められるようになりました。そして、人々は「優秀な能力を持つ人は高い給料をもらうことができ、そうでない人は給料が安くて当然だ」と考えるようになったのです。

こうして「能力」は万能な「通貨（utility）」のようにみなされるようになり、人々は「能力さえあればなんでもできる」と考えるようになりました。お金持ちが世の中をブイブイいわせているように、「能力持ち」になれば世の中をうまくわたっていけると信じるようになったのです。

「能力信仰」は、「子どもは守られるべきかわいい存在だ」という信仰と同様に、たいへん強い信仰だと僕は感じます。「勉強」とは、まさにこの「能力」を高めるために行う活動に他なりません。多くの人々が「能力を高めることこそが、幸せになるための唯一の道だ」と信じ、「がんばって勉強して学力を高めれば、きっといつか報われて幸せになれる」という教えにすがるようにして生きています。大人は子どもたちに「勉強して能力を高めると、きっといいことがあるよ！」と希望を持たせ、「能力を高めないと、社会から脱落してしまうよ?」と脅し、「勉強がおもしろくないなんて言ってはいけない。とにかく勉強しないと！」と頭ごなしに無理やり勉強を押しつけます。ひとすじの光に救いを求めて生き、その教えを信じない人を変人あつかいする様は、まるで他を寄せつけない一神教のようです。

そういう社会のリクエストを受けて、学校は生徒に「能力」を身につけさせるための訓練所になってしまいました。もちろんその流れに抵抗しようとする先生たちもいますが、社会のほとんどの大人たちがそれを求めているため、なかなか彼らだけでは立ち向かえません。

子どもたちはといえば、ただ「いい学校に進学する」という目先の目標に向かって、ひたすら勉強させられることになりました。「なんのために勉強するの？ とか言われてもよくわからないし、考えるのもめんどくさいから、とにかく目先の勉強に集中しよう」というのは、思考停止以外のなにものでもありません。

思考停止はかならず「手段の目的化」を生み出します。大学に行く理由は本来、自分が探究したい学問を研究するためであり、大学に入ることは単なる「手段」にすぎないにもかかわらず、今では「いい大学に入ること」そのものが勉強の目的になっています。これを「自己目的化（activity trap）」といいます。

本来の目的を見失った世界では、ただ目先の成績が良かったかどうか、他の人より優れていたかどうかだけが関心事になります。そして、成績が良かったらほめられ、成績が悪かったら「おまえがこれまでなまけてきたツケがまわったのだ」となじられ、自業自得だと次のように責めたてられます。

「チャンスはみんなに平等に与えているのだから、すべては本人のがんばり次第。努力しなかったせいで、その人へのあつかいがひどくなったとしても、それは本人の責任なのだ」

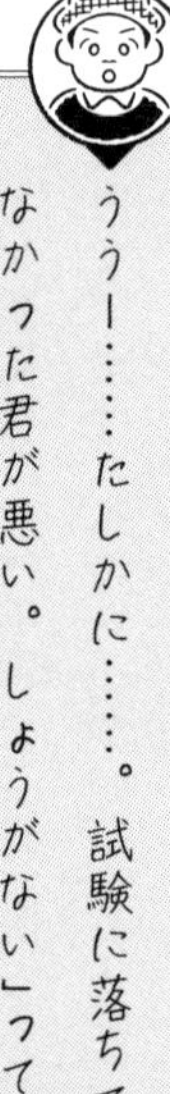

自分の中にもこのような心理が働いていることに気づいてがく然とした僕は、しばらくモヤモヤした日々を過ごしていました。そんな時、僕は日本の社会心理学者トシアキ・コザカイ（小坂井敏晶）先生に出会いました。彼は『責任という虚構』（２００８）や講演をとおして、僕のモヤモヤをスパッと断ち切ってくれました。彼はこう言います。

「現行の学校教育は、格差の原因が偶然で決まるにもかかわらず、平等な教育という名のもとで子どもたちに順位づけを行い、さらにその順位は自分の努力の結果（責任）であることを押しつける。能力格差はほぼ偶然で決まるにもかかわらず、学校は自己責任論的な格差正当化に大きく寄与してしまっている」

つまり、学校は「すべては自己責任」だとする格差社会をつくり出すのに一役買って（ひとやく）いるということです。ロックさんやルソーさんに始まった「すべての子どもたちに自由で平等な教育の機会を与える」という高らかな理念が、かえって人々にきびしく責任を問うようになった。そして「格差や不平等が生まれるのはしょうがない」と人々は考えるようになった。人々が物理的にも心理的にも追い込まれていった結果、むしろ好きなことを探究する機会がごっそり奪われてしまうという結果になった。そう彼は言っているのです。

うわ……。めちゃめちゃ鋭い……。そう言われてみると、本当にそのとおりだ。しかし、なんと皮肉な結果だろう……。

「地獄への道は善意で敷きつめられている」というヨーロッパのことわざがありますが、学校、そして社会は、まさにこの言葉どおりだと言わざるをえないと感じています。

ただの統計上の数字にすぎなかった「能力」が、
テストがくり返し行われることによって
実体化してしまった。

そこからさらに
「能力さえ身につければ幸せになれる」という
信仰が生まれ、人々は
「能力を身につけないとヤバい」と
恐れおののくようになった。

今ではその教えを信じない者を
排除することさえ起こる。
「能力」はフィクションにすぎないにも
かかわらず、だ。

循環論法（じゅんかんろんぽう）のトリック

私たちはよく自分や人に対して「能力がある」とか「能力が足りない」と言ったりします。たとえば、プロの選手でも緊張してなかなか力が発揮できないと言われるワールドカップのような大試合で、代表選手が得点を決めた時、サッカー解説者が「いやあ、彼はここいちばんできっちりゴールを決めることができる決定力のある選手ですね！」と言ったりします。

あらためて考えてみると、これってどういう意味かなあ。「決定力」ってどんな力なんだろう？ その「力」はどうすれば手に入れられて、どうすれば高められる？ そして、どうやってそれを測るんだろう？

「特別な能力を得るには、専門のコーチや先生についてもらいながら練習や本番の経験をたくさん積むに限る。能力の測定はテストなどの評価によって行う」と多くの人が言うことでしょう。しかし、これでは質問にきちんと答えたことにはならないと思います。なぜなら、経験をたくさん重ねたからといって、必ずしも成果が出るとは限らないからです。

先の例でいうならば、「決定力」に絶対的な基準はありません。たとえば、「1試合平均で何点以上取る人は絶対的に決定力のある選手である」と決めることはできません。しかし、「あの選手はリーグ得点王のタイトルを獲った」と言われれば、「あの人は決定力が抜群にある」と誰もが認めるでしょう。

つまり、「能力」というのは、あくまで「結果論」であり、同じようなことをしている他の人との比較でしかないのです。結果が良ければ「あの人は能力がある」、悪ければ「能力がない」、他人と比較して優れていれば「能力の高い優秀な人」、劣っていれば「能力の低いイマイチな人」と言っているだけなのです。

この図にあるように、人は常に、①「行動してみた」→②「だから、他の人にはなかなかできない良い結果が出た」→③「だから、他の人にくらべて能力が高いと言える」という順番で評価をくみたてています。必ずこの順番でしか認識しないにもかかわらず、そして「能力」の有る無しは、結果論と比較論によって生まれた「フィクション（つくりごと）」でしかないにもかかわらず、多くの人々はそのフィクションを実体として存在するものだと信じてしまっているのです。

なぜか。それは、「能力」という概念が生まれるプロセスが、①「行動した」→②「良い結

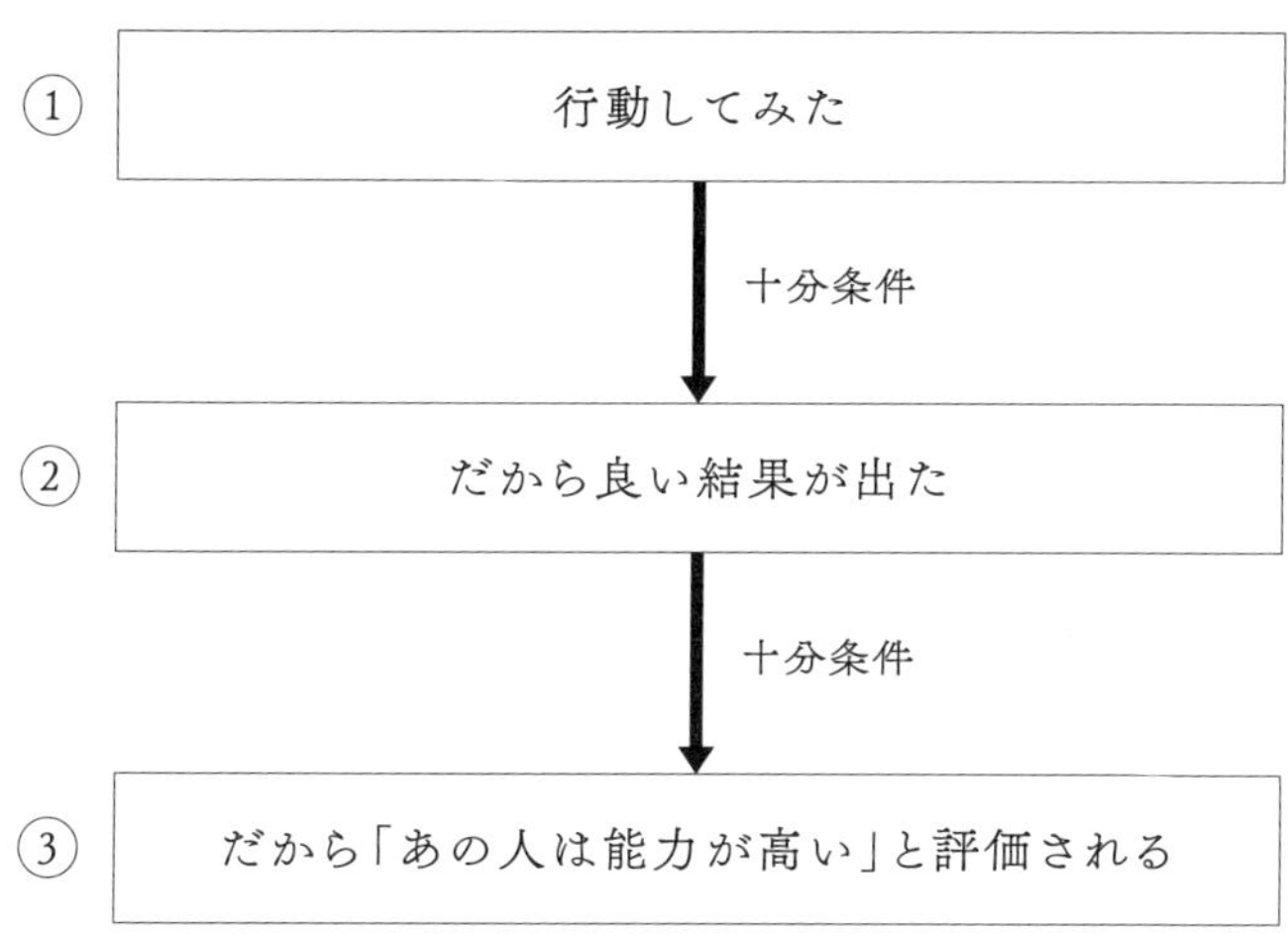

果が出た」→③「能力が高い」という順番なら逆もまたしかりで、③「努力して能力を高めれば」→②「きっと良い結果が出るはずだから」→①「能力が高まったら行動を起こそう」という流れも成立するはずだと人々が考えるようになったからです。

たしかに①→②→③は、「この条件が成立するならば、その条件も成立する」という「十分条件（sufficient conditions）」を満たしながら進んでいきます。

しかし、逆方向である③→②→①は、必ずしも成り立ちません。能力を高めたからといって、良い結果が出る可能性が高まるかどうかは保証されていませんし、仮に良い結果が出る可能性が高まるとしても、いつ行動を起こせばいいかはいつまでたってもわからないからです。

サッカーの例で考えてみると、まず、①

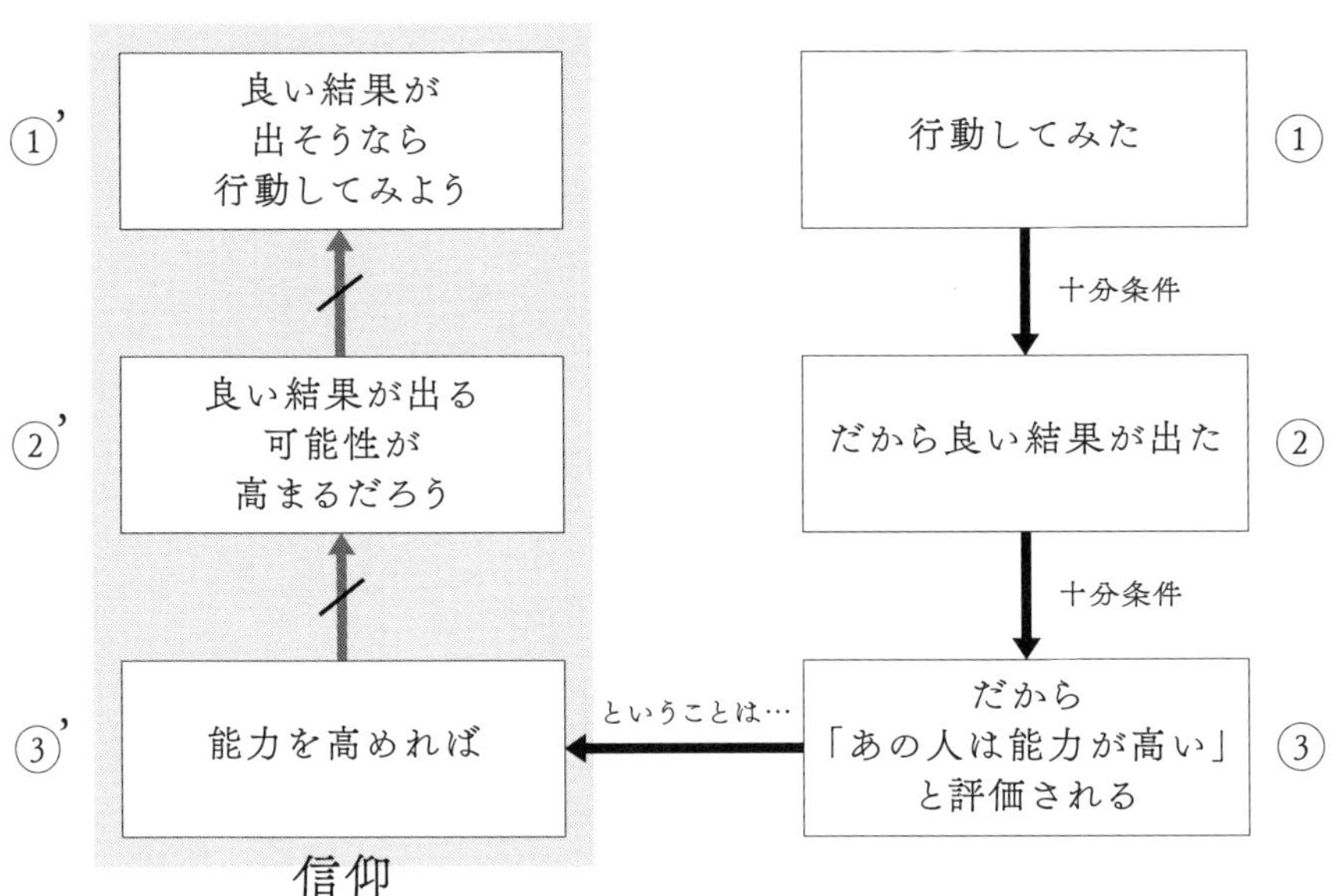

シュートを打ってみた→②ゴールに入った→③「あの選手は決定力が高い」と評価される、というのは当然成り立ちます。しかし、だからといって、③'「決定力」を高める努力をすれば→②'ゴールが決まる可能性が高まる、となるかといえば、必ずしもそんなことはありません。

さらに、どういう状態になったら「決定力が高まった」と言えるかもわかりませんので、いつまでたっても→①'「シュートを打とう」ということになりません。なりようがないのです。

その結果、「自分は決定力が足りないから、シュートを打つにはまだ早い」などと考え、結局いつまでたってもシュートを打とうとしません。

実は、「努力をしても必ずしも報われるわけではない」ということは誰もが実感しています。にもかかわらず、「良い結果が出たのは能力が高かったから」であり、「努力して能力を高めたからこそ良い結果が導き出されたのだ」と考えるようになりました。つまり、「高い能力こそが良い結果の原因である」と考えるようになったのです。

この理屈は「能力を高めなければならない。なぜなら、成果を出すためにはいろいろな能力をまず必要とするからだ」というように、説明しなくてはいけないことそのものがその説明の理由となっています。なので、これは理屈として成り立たない「詭弁（sophistry）」でしかありません。このような理屈の立て方を「循環論法（circular reasoning）」といいます。

にもかかわらず、多くの人はそれが理屈としてちゃんと成り立つと考え、「勉強して学力を高めれば、きっといつか報われる」「能力を高めることが幸せになるための唯一の道だ」とかたく信じている。これが、能力信仰の正体なのです。

実際には存在しないものが存在すると信じることを「信仰」といいますが、信仰には信じること以上の理由はもはや必要ないので、「能力信仰」については多くの人が完全に思考を停止させてしまいました。現代人はまさに「能力教の信者」です。「能力教」は、ひょっとしたらいまや世界最大級の信仰かもしれません。

◆

なぜ、「能力」が実体として存在すると信じるようになったのか。

そんな疑問が浮かんだその時でした。机の上に積み上げてあった本の山が突然、強く光りだしたのです。それはイリイチさんの『コンヴィヴィアリティのための道具』（１９７３）でした。「もしかして……」

その瞬間、僕は古びた講堂にいました。前方では、イリイチさんが講義をしています。

「……機械が発達した理由は、機械が人間のために奴隷のかわりをすることができるという仮説にありました。機械が改良されれば、それだけ人間を労働から解放するはずだったのです」

彼の言葉には熱がこもっていましたが、つむぎだす言葉の切れ味とは別に、どこかそれを楽しんでいるような自由さをも感じました。

「しかし、『機械の主人』として君臨するはずだった人間は、実際には『機械の操作者』として不毛な労働をさせられ、機械がつくり出した商品をただ受け身で使い続ける『消費者』になったにすぎませんでした。つまり、機械がドレイのかわりになるのではなく、機械が人間をドレイにしたのです」

ううむ……。しかし、それがどうして「能力信仰」につながったんだろう。そう質問しようとした時、彼のほうから聴衆に向かってこのような質問が投げかけられました。

「より性能が良い新しい機械が登場すると、今ある機械はどうなると思いますか？」

性能が良いものが出てくれば、それは当然、新しい機械に置きかえられるよな。

「では、機械が壊れたら、どうなりますか？」

そりゃすぐに交換だよ。機械は「性能」で評価されるのが宿命だから……。そうか、人間も

イヴァン・イリイチ
Ivan Illich
（1926-2002）

同じだ！　人間は機械が発達してきたこの200年、工場の生産システムや管理システムの一部に組み込まれて働くうちに自分たちを機械のようなものだと考えるようになった。つまり、これまでは「人間の機械化」が進んだ200年だったんだ。

そんななか、次第に人間はシステムの中でうまく機能する価値の高い存在でありたい、じゃないと社会で生き残っていけないと考えるようになった。いや、考えさせられた。

「いかにも」

彼はこちらを見て、大きくうなずきました。

「機械化した人間」も「成果」で評価されるようになった。だから人々は、性能が良くて、壊れなくて、使い勝手が良い存在として「能力」をアップデートし続けなければならなくなったのか。「リスキリング（変化に対応するために新しいスキルを身につけること）」なんてまさにそうだ。なんてことだ。人間をたいへんな労働から解放するためにつくられたはずの機械が、結果として人間を奴隷にしたなんて……。

僕が呆然（ぼうぜん）と立ちつくしていると、彼は静かに光の中に消えていきました。

◆

能力信仰が「人間の機械化」によってもたらされたということ。そこには人間の「自由になりたい」という願いがあり、それが残念な結果をもたらしたこと。その皮肉に僕はとても切ない気持ちになりました。

先ほど、人々が能力を実体としてとらえるようになった背景には「循環論法」があるとお話ししました。人間なら誰にでもある「脳のクセ」のようなものですが、人類はこの「循環論法」で文明を発達させることができたという側面もあります。その最たる例が「お金」です。お金がお金となるのは、「他の人もこれをお金として受けとってくれる」と信じているからですが、これもまぎれもなく「循環論法」です。

「能力」も「お金」と同じくフィクションにすぎないのですが、一方で、それを信じたからこそ経済や社会が発達したところがあることも知っておくべきでしょう。

ちなみに日本では、良い結果が出て他人に「すごいですね！」とほめられたら、ほとんどの人が「いえいえ、たまたま運が良かっただけですよ」とへりくだります。

この「運」という概念も、結果から生まれるフィクションに他なりません。因果関係はよくわからないけれども、なぜか良い結果が出た時に、「そこに作用したであろう説明のつかないなにか」のことを私たちは「運」と呼んでいるのです。

「運」も「能力」と同じく、いつしかそれが本当に存在するかのように人々から信じられるようになりました。それで多くの人は、運気を上げるために神社にお詣りに行ったり、お守りなど様々な「運勢が良くなるグッズ」を買ったりして、せっせと「運気向上」に励んでいるのです。その意味で、「能力」と「運」はまるで双子の姉妹のように似ています。

能力というのは、あくまで結果論であり、
同じようなことをしている
他人との比較でしかない。

フィクションでしかないにもかかわらず、
それはお金や運と同様に実体として存在し、
能力を高めれば報われると人々は信じた。

それは、産業革命によって
「人間の機械化」が進んだからだった。

能力や運やお金。
実は、これらのほかにもまだ
人々に害をおよぼしている信仰があった。

才能は百害(ひゃくがい)あって一利なし

「能力」と同じくらいよく使う言葉に「才能（talent）」があります。「素質（gifted）」とか「適性（aptitude）」という言葉などもよくつかわれます。また、才能をあらわす最たるものとして、「生まれつきの優れた才能」とか「凡人の努力ではたどりつけないレベルの才能」を意味する「天才（genius）」という言葉もあります。

これってほんとよくつかわれるよね。「素晴らしい！　天才だ！」とか「素質があるよ！」とほめる時にもつかうけど、「どうせ自分には才能ないし……」と人をあきらめさせる言葉でもあるよなあ……。そもそも「才能」って、いったいなんなんだろう。

能力と同じように、才能にも実体がありません。にもかかわらず、人々がその存在を信じる理由は「後知恵バイアス（hindsight bias）」という心理学の用語から説明がつきます。後知恵バイアスとは、なにかの結果を知ってから、後づけで「ほら！　やっぱりそうだと思った！」と、まるで事前に予測できたかのように感じる心理をいいます。

この「後知恵バイアス」は誰にでもあるものですが、時に大きな問題となることがあります。それは、思うような結果が出なかった人を不当に過小評価してしまうことです。

たまたま結果が悪かった時、それを決断した人を「無能」だと決めつけてしまいます。これは「後知恵バイアス」の中でも特に「成果バイアス（outcome bias）」と呼ばれています。

たとえば、サッカー代表チームの監督を、試合に勝った時は「名監督」とたたえる一方、負けると「迷監督」と責めたてる観客などがその典型です。監督はチーム内にしかわからない事情などを考えに入れながら「これがベストだ」と思う采配をします。誰よりもきびしい修羅場をくぐってきた監督が、自分の監督生命をかけてやっていることについて、観客は結果だけを見て「あの監督はダメだ。監督としての才能がない」と残酷に評価を下すのです。

ここで僕が言いたいのは、結果論で物事や人を評価する社会は、自分たちの首をしめることになるということです。なぜなら、結果論で失敗をこきおろす社会では、人々はリスクをとって大胆な決断や行動をすることをためらうようになるからです。結果論で評価する社会は、「誰かが失敗する」→「結果論で責めたてる」→「ちぢこまる」→「先手を打たなくなる」→「後手に回る」→「手遅れになる」という展開になり、その悪影響は結局自分たちに返ってきます。

しかし、頭ではわかっていても、これらのバイアスを持たないようにするのはなかなか難しいものです。ですから、そう考えてしまう自分を責める必要はまったくありません。

大事なことは、「ああ、今のこの考えや感情にはバイアスがかかってるな」と自覚することです。それを「メタ認知（metacognition）」といいます。それさえ自覚できれば、人に対して広い心を持つことができ、ムダな争いをせずにすみます。そして自分自身にもやさしくなれ、自己嫌悪におちいらずにすみます。

アメリカで子どもたちによくかけられるフレーズに「Good try!」というものがあります。「残念ながら良い結果は出なかったけれど、思いきってトライしたこと自体に意味がある」とたたえ、そのプロセスをねぎらう言葉です。このような姿勢と、成果バイアスで相手を責める姿勢とでは、どっちがいいかは言うまでもありません。

また、才能という言葉の裏には、「利用可能性ヒューリスティック（availability heuristic）」という心のクセがあります。人には、頭の中に思い浮かびやすい物事をベースに判断する傾向がある、というものです。私たちは結果論で物事を考えるのに慣れているため、「その考えは正しくてもっともなことだ」とつい考えてしまうと言われています。つまり、人間は結果論でものを見るのが大好きな生き物なのです。

このように、「才能」は能力と同じく、これらのバイアスによって下された、部外者による浅はかな評価にすぎません。しかし、「才能」が能力よりもタチが良くないのは、そこに決定論的な考えがひそんでいることです。

「決定論（determinism）」とは、「自由にものを考え、行動したと思うものでさえも、すべては自然法則や運命など、なにか別のものによってあらかじめ決められている」という考え方です。

能力信仰は「努力を積み重ねれば、能力は必ず高まる」という信念のもとに行動しているぶんまだマシですが、才能は「努力をしても才能がなければ能力は高まらない」「才能がない者がいくら努力をしても意味がない」というあきらめを引き起こすことがあるため、非常にタチが悪いと僕は思います。

「才能」という言葉が悪い働きをするのは次のようなケースです。本人はただ好きだからやっているだけなのに、たまたま続けて悪い結果が出てしまった時に、まわりの人から「かわいそうだけど、あの人には才能がないんじゃないか？」と言われてしまう。本人もそれを真に受けて「自分には才能がない」と自信を失ってしまう。こうした光景は、競技大会やコンテンスト、選抜試験などでよく見られます。

人間のすべての活動は本来、好きだから楽しく真剣にやっている、ただそれだけで十分なはずです。それなのに、「熱意や努力ではどうにもならない才能や適性、素質などを持っていない者はいくらやってもムダだ」という考えが人々のやる気を奪ってしまいます。

そもそもコンテストのような選抜は、その活動を愛する人のモチベーションを高め、その分野を盛り上げるために行われるもののはずです。しかし、選抜が評価につながることで、それが「才能」という実体のないものをたぐり寄せてしまい、かえってその愛好者たちが自信を失ってしまうことになるという、たいへん皮肉な結果を招くことがあります。

一方、確かに「あなたは才能がある！　すごい！」と言われても、もちろんうれしいでしょ

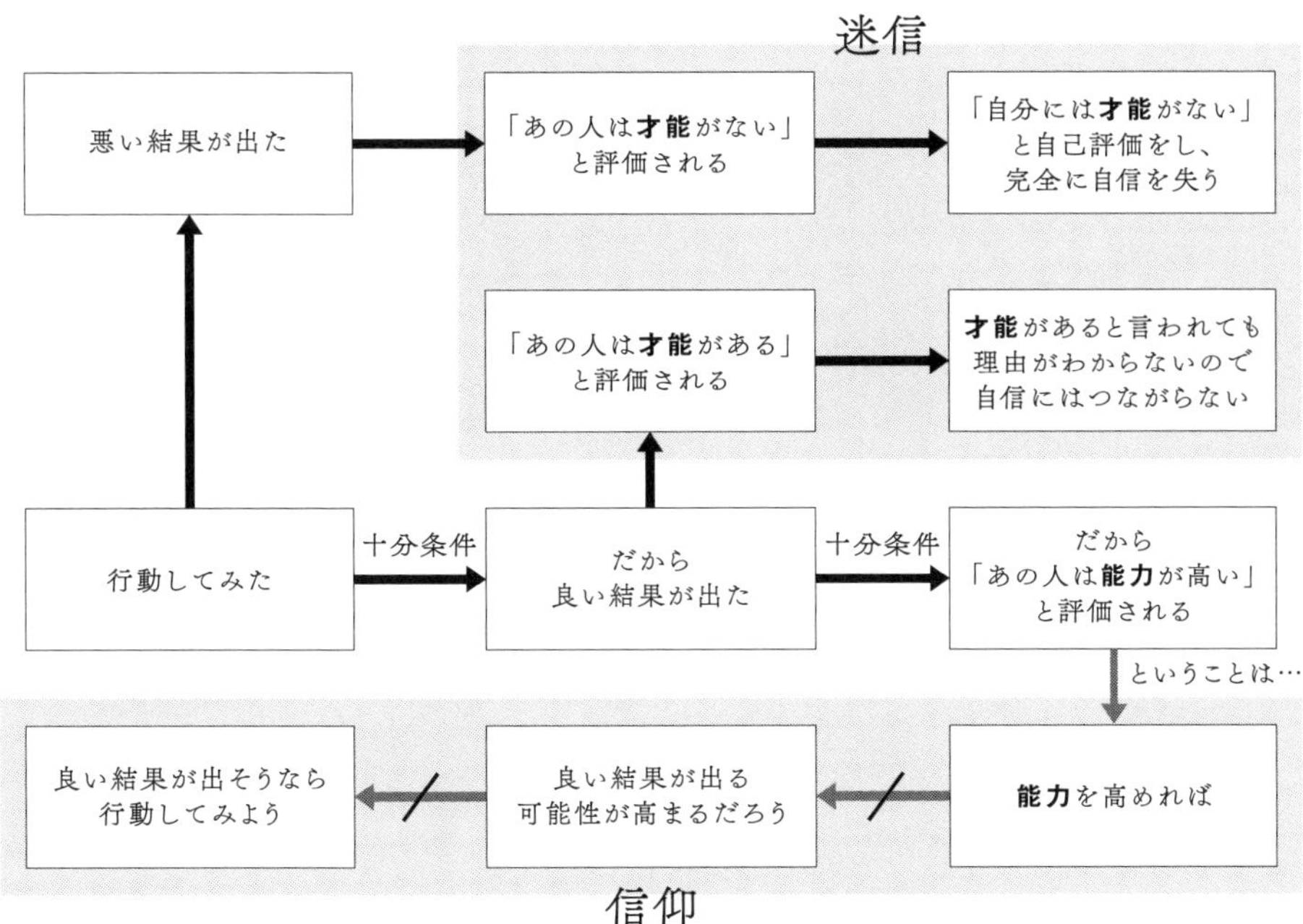

うが、部外者の言葉にはあまり説得力がないので、本人はそれほど励まされません。また、良い結果が出た本当の理由は本人にもよくわからないことがほとんどなので、確固たる自信につながることはありません。

ということで、才能があるかないかを語るのは、迷信を信じるか信じないかを語るにすぎないと言っても言いすぎではありません。

その意味では、能力という信仰も、才能という迷信も「百害(ひゃくがい)あって一利なし」だと言えます。にもかかわらず、人々がいつまでもこれらの信仰や迷信を信じているのが僕には残念でなりません。

能力という信仰も才能という迷信も、
結局は人に対する評価の話だ。

評価は人から自信を奪ってしまう。
そこが最大の問題であることは誰もが認めるが、
「じゃあ、評価はしなくていいの？」と
聞かれたとたん、人は皆、口をつぐんでしまう。

だが、実は評価にかわるものがある。
一人の人物が、そのヒントをくれた。

優劣のラインを越えて

自慢じゃないですが、僕は「一夜漬け」がすごく得意でした。それでどれだけ高得点を獲ってきたかわかりません。しかし、一夜漬けで勉強したことは、これも自慢じゃないですが、まったく覚えていません。「一夜漬け」は脳の短期記憶をつかうため、数日後にはすっかり忘れてしまいます。

テストという一度のスナップショットでは高得点を獲ることができるので、周囲はもちろん自分自身でさえも「きちんと理解できている」とだまされてしまいますが、学びという点ではちっとも意味がありません。

自分がどれくらい学んで成長したのかを測るには目標の達成度を評価したほうがいい、という意見があります。これを「絶対評価」といいますが、僕はそれすらも疑問です。陸上競技のタイムのように明確な基準があるスポーツでは、意味がないとは決して言いません。しかし、勝ち負けにこだわっていると、絶対評価では満足できず、どうしても他人との比較である「相対評価」が気になってしまうのではないでしょうか。

ましてや、画家やミュージシャン、小説家、シェフ、サイエンティストのようなクリエイティブな仕事をしている人をランクづけする必要がいったいどこにあるというのでしょうか。ランキングによって彼らが劣等感を感じたり、自信を失ったりする必要はどこにもありません。

「評価」は人間の活動の多様性をそぐだけでなく、人間の成長の可能性をせばめることにしかならないと思うのです。「評価」が人間の学びを貧しいものにし、それが「才能」という迷信を生み出し、人々から自信を失わせてきた。そして、「能力」が低い人を「なまけ者」や「脱落者」あつかいして不幸にしてきた。ですから、「評価は、本人のやる気や励みになる限りにおいては好ましいが、それ以上になる時にはまったく好ましくない」と言えます。

> 誰もが納得する結論をまとめるとこうなるんだけど、それじゃあつまらないんで、僕個人の意見を言うと、僕は相対評価も絶対評価も必要ないと思っている。それよりも、自分がそれを楽しくやれているかどうかのほうがよっぽど重要だと思う。

「テスト」という言葉の語源は、錬金術師（れんきんじゅつし）が鉱石の成分を分析するためにつかっていた土の壺をあらわすラテン語の「testum」だそうです。それが、製品の品質を管理するためのテストを意味するようになりました。言葉の成り立ちからしても、まさにテストは「人間は工業製品と同じ」という考え方の象徴だと言えます。

テストはこれまで大流行し、今も様々な場面で細かいテストがどんどん生まれていますが、僕はもう時代遅れだと思います。

なぜなら、好きじゃないことをいくらガマンして続けたって、そして「テストの成績が良くない」と言われてがんばったって、そんなのなんにもならないと思うからです。人工知能のほうが人間よりもはるかに優れた「能力」を持つ時代に、無理やり身につけたものが役に立つわけがないからです。

それよりも、「楽しいからまったく飽きない！」ということだけをやる人生のほうが豊かだと思います。他人と比べて劣っていたとしてもなんら恥じることはありません。なぜなら、楽しんで続けられていることそのものが豊かさだからです。なにかを学ぶ人の差は決して「優劣」ではなく、ただの「個性」だととらえて、それぞれが夢中でやりたいことをやる。ただそれだけでいいと思うのです。

評価はいらないとはいえ、じゃあなにもなくて本当にいいのかなあ。評価のように学びをつまらなくするものじゃなく、もっと楽しく豊かにするものはないかなあ？

そこで僕は、評価にかわるなにかを探す旅に出かけました。そして「20世紀で最も影響力のあるアメリカ人」と評されたこともあるアメリカの作家デール・カーネギーに出会いました。

そして、彼の世界的ベストセラー『人を動かす 文庫版』（1936）で、人間関係の大事な原則のひとつとしてあげていた次の言葉が大いなるヒントになったのです。

Give honest, sincere appreciation.
［誠実に、心をこめて、相手の良さを認める。］（訳は本書の著者）

——デール・カーネギー

彼はこの「アプリシエーション（appreciation）」というキーワードを繰り返しつかっています。これは「ある人や物をきちんと理解する」という意味ですが、そこには相手の良いところを理解してほめるというあたたかいまなざしがあります。

辞書を見ると、動詞の「アプリシエイト（appreciate）」には「鑑賞する」と「感謝する」という、2つの意味があると書かれています。この言葉は、この2つの意味の間に切っても切り離せない密接な関係があることを教えてくれます。たとえば、芸術作品を鑑賞する時、ただボーッと観るのはなく、作者の意図や表現テクニックを深く理解すると、その良さや魅力がよくわかるようになります。すると作品そのものはもちろん、作家のことも好きになり、自然に尊敬の念を持つようになります。そして最後には「こんな素晴らしいものをつくってくれてありがとう」という感謝の気持ちさえもわいてくるようになります。

つまり、「アプリシエーション」とは、なにかにふれて、わきあがった感情とその感情が生まれるプロセスすべてを指し示す言葉であり、ただそれが「ある（在る）」ということがいかに「ありがたい（在り難い）」ことかという点に意識を向けた態度だと言えるでしょう。

僕は、このアプリシエーションこそが学びを楽しく豊かにするものになるのではないか、そして結果的に学ぶ人にとって最大の励みになるのではないかと思うのです。

アプリシエーションには、学ぶ本人がこの世界のおもしろさ、不思議さ、それが奇跡的に存在する「在り難さ」をじっくり味わうというアプリシエーションもありますが、周囲の人が、学ぶ人の探究ぶりのユニークさやすごさ、意義深さを素晴らしいと称賛するアプリシエーションもあります。これら2つのアプリシエーションは、いずれも学ぶ人を大いに励ますことになります。

人は誰しも、アプリシエイトされるとうれしくなって、ますますがんばろうという気持ちになります。そしてアプリシエイトした人も、相手を「在り難い」存在だと感じ、ますます親愛と感謝の気持ちを持つようになるでしょう。もし自分がそのような気持ちで相手に接することができれば、きっと相手も自分をアプリシエイトしてくれるはずです。そうすればお互いに通じていると実感でき、とても幸せな気持ちになれます。もし世界中のすべての人がそのような気持ちで接することができれば、分断など起こるはずがないと僕は信じています。

どんな芸術作品でも、それを鑑賞する人、すなわち「わかる人」がいなければ、意味も価値も生まれず、いつかは忘れさられてしまいます。それは芸術に限らず、工芸や学問、製品やサービスでも同じです。アプリシエイトする人がいてこそ、「つくる人」はそれが励みとなって、さらに良いものづくりができるのです。人間の文化の発展は、すべてアプリシエーションによって支えられているのです。

良い「つくり手」は、良い「つかい手」であり、良い「わかり手」であることが多いのは偶然ではありません。多様な存在である人間がお互いに尊敬しあい、高めあい、愛情によって支えあうことによって、私たちの創造はどんどん素晴らしいものになっていくのです。

僕が新しい学びの場をつくるなら、アプリシエーションにあふれた場にしたいと思います。評価という冷たいメスで切り刻み、子どもたちに弱点を意識させて自信を失わせるかわりに、アプリシエーションという尊敬と愛情と感謝を注ぎ、ただみんなの持つ可能性を開花させてあげたい。そんなことを今、考えています。

ひとつの基準で結果を評価するかわりに、
発想そのものや創造のプロセス全体を愛でる
アプリシエーションがあればいい。

その姿勢は、成果に対する尊敬はもちろん、
それを行った人への愛情と感謝を生む。

アプリシエーションが励みとなって
生まれた新たな挑戦が
さらなるアプリシエーションを生む。

そして、その先に多様な良さを認めあう
社会が生まれる。

学びの場は、評価をして自信を失わせる場ではなく
お互いが多様なアプリシエーションによって
勇気づけられる場であればいいと僕は心から思った。

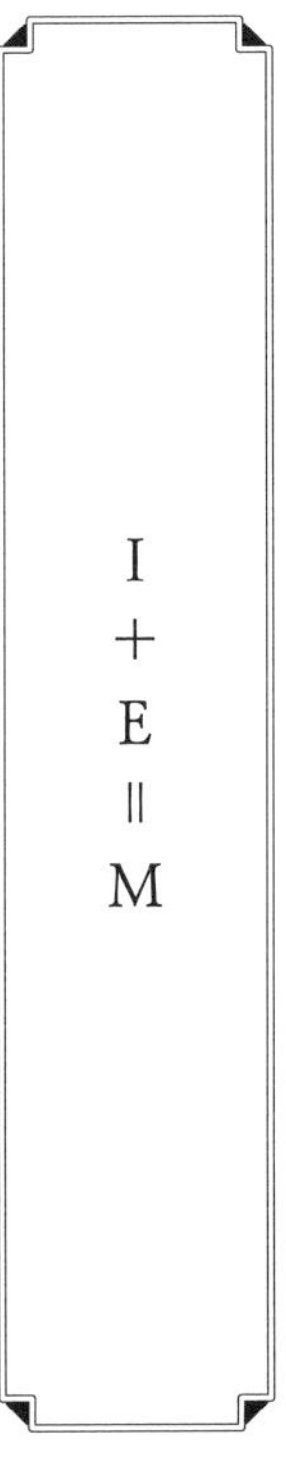

I＋E＝M

書店をのぞけば「コミュニケーション力」や「問題解決力」「決断力」「企画力」「文章力」など能力に関する本が山のように並んでいます。

さらには「人の心をつかむ術」とか「相手に押し負けない交渉術」のような、相手をうまくあやつろうとするテクニックを教える本がベストセラーになったりもしています。映画館に行けば「超能力」を持つスーパーヒーローが活躍する映画が大人気になるなど、とにかくみんな能力が大好きです。

そのような中で、学力で子どもたちを測定して勉強させる学校がいじめや不登校を生み出しているといくら指摘しても、人々はそれをまともには受けとめないかもしれません。もちろん、いじめやドロップアウトは良くないということには賛成するでしょうが、その対策のほとんどが症状をやわらげる「対症療法」ばかりで、症状を根本から治す「原因療法」として、教育システムそのものを見直そうとまではしません。

なぜなら、「能力で評価されるのが世の中の現実なんだから、その中でうまく生きていける人間を育てるしかないじゃないか」という考えをもっている人が多いからです。もしくは、「能力がない人が重要なポジションについたら大変なことになる。大事なポジションには本当の意味で能力の高い人がつくべきで、むしろ能力を正しく高める教育をもっとちゃんと行うべきだ」と考える人も多いでしょう。

また、「能力を抜きにして、他にどんな公平なやり方があるというの？」という声もありそうです。今の能力評価や学校教育制度は「ベストだとは言えないとしても他の方法よりはマシだ」というのが多くの人の意見かもしれません。

能力と社会に関することでいえば、「社会における人間の地位は、生まれなどによって決まるのではなく、その人の持つ能力によって決まるべきである」という考え方があります。

そのような社会を「メリトクラシー(meritocracy)」といいます。この言葉は、イギリスの社会学者マイケル・ヤングが近未来を舞台にしたサイエンス・フィクション『メリトクラシー』（１９５８）で初めて使ったことで広く知れわたりました。この作品は知能指数と努力だけですべてが決まるメリトクラシーの社会を舞台にした内容で、傲慢(ごうまん)で民衆の気持ちを理解しないエリートたちの社会システムを民衆がくつがえすという結末でしたが、今では「生まれよりも能力を重視して統治者(とうちしゃ)を選ぶシステム」を意味する一般的な言葉として定着しています。

イギリスの労働社会学者ジョン・ゴールドソープ博士は『メリトクラシーの諸問題』（１９９７）

で、メリトクラシーは3つの要素からなると説明しています。

ひとつ目は「人がどの職業につくかは、どこの生まれかとか、家が金持ちかどうかなどによって差別されるべきではない。才能や努力に応じて誰でも出世できる」という考え方です。要するに「機会の平等」です。

かつて世界の多くの社会では、社会的地位が家柄によって決まる社会、つまり、貴族が支配する社会が主流でした。これを「アリストクラシー(aristocracy)」といいます。そこで政治に参加できるのは貴族だけで、身分によってなんの職業になれるかが決められているのがふつうでした。そういうアリストクラシーに対する反対の考え方として、「人間はみな平等である」という機会の平等を全面に押しだしたのが特徴です。

2つ目は「人それぞれの能力に見あった教育の環境や機会を平等に提供する」というコンセプトです。これだけを見ると平等が前面に打ち出されているように思いますが、その裏には「より高い能力を持つ人により優れた教育を与える」という目的もあります。

現在、教育とテクノロジーをかけあわせる「エドテック(edtech)」の分野で、人工知能をつかって、一人ひとりの学習者に最適化されたコンテンツやスタイルを自動で提供する「適応学習システム(adaptive learning system)」が世界的に大流行しています。この技術などはまさにこのコンセプトを反映させたものだと言えます。

ちなみにヤングの小説では、人々の実力は「メリット(merit)」と呼ばれ、「知能(Intelligence)」に「努力(Effort)」を加えたものが本人の持つ「実力(Merit)」であると定義されました。そして、

「I＋E＝M」という公式のもとで高度に進歩した知能テストと適性テストによって人生すべてが決まります。

彼はこの社会をディストピア的近未来として描きましたが、現在、画像認識やセンサーによるセンシング技術をつかって学習者の行動を分析し、それを教育に反映させることでより良い教育をつくり上げようというエドテックがどんどん開発されています。それを見るにつけ、この小説はあながちフィクションだとは片づけられなくなってきています。

3つ目は「業績」をとりわけ重視することです。私たちの社会では人々の地位や報酬などで格差があります。メリトクラシーでは、「他の格差は認められないが、業績の差だけは格差として認められてもいい」という考え方をします。

このような「機会の平等」「能力別学習」「実績重視」という3つでできたメリトクラシー、すなわち、実績で地位や報酬が決まる平等主義が近代に入って世界中に広がっていきました。また、「すべての国民がメリトクラシーにつつまれることによって、社会をうまくひとつにまとめることができる」という考えも同時に広がっていきました。

「努力は、しようと思えば誰でもできるものだから、みんなが努力すれば、最終的にはみんな能力が高くなるはずだ。みんな能力が高くなれば、誰もが高い地位と報酬をもらえるようになって幸せになれるはずだ」と信じたわけか……。

それにともない、学校にもメリトクラシーが全面的に採用されていきました。だからこそ、学校で「学力をつける」という時、それは「能力を身につけて経済的に自立できる人間になる」という意味と、「一人前になって社会を支える良き市民となる」という両方の意味を含んでいるのです。こうして学校は「学力」を身につける訓練所、すなわちメリトクラシーを強化する総本山（そうほんざん）となったのです。

たしかに、貴族が社会を支配する「アリストクラシー」や、大富豪がお金で社会を支配する「プルトクラシー(plutocracy)」などに比べると、メリトクラシーのほうがマシだという気がします。しかし、僕はもうメリトクラシーはやめたほうがいいのではないかと思うのです。なぜなら、「がんばればみんなできる、できるようになればみんな幸せになれる」というような平等主義は、いわゆる「絵に描いた餅」で、実際にはそんな社会はまったく実現しないどころか、むしろ公平性が悪化しているのが現実だからです。

僕はハッキリと言いたいと思います。

メリトクラシーはみんなを幸せにするどころか、最後にはほとんどの人が不幸になる社会なのだと。

地位は、その人の能力によって
決まるべき。

「機会の平等」をうたう
メリトクラシーは、
不平等をなくすための手段として
多くの社会で受け入れられてきた。

どこか疑問に思う人でさえも、
それがいちばんいいかどうかは
ともかく、
他の社会体制よりは
はるかにマシだと考えた。

それに対して異を唱えるところから
僕の真の冒険は始まった。

学力なんか身につけてどうするの？

工業社会になるにつれて「人間の機械化」が進み、人間も「能力」と「実績」で評価されるようになったと先にお話ししました。機械がいくら発達しても、それでも人間が仕事を持ち続けられた理由は、「人間は学び続けることで自分をアップデートし続けられる」という点にあります。

しかし、それももうすぐ終わりを迎えます。なぜか。それは、「機械の人工知能化」がこれからすさまじいスピードで進むからです。

人工知能化した機械、すなわち「ロボット」は、自分で自分をアップデートします。ですから、人間が一生かかって身につける高度で複雑な技能でさえも、ロボットは瞬時に学習することができます。

つまり、人工知能は能力学習の究極の存在、すなわち「メリトクラシーの最終兵器」だと言

MERITOCRACY…
メリトクラシー…

えるでしょう。

そもそも人工知能は人間よりはるかに性能が高いし、その性能を常に自分でアップデートできるならば、もはや「人工知能化した機械」の前に「機械化した人間」はただひれ伏すしかありません。

この事実は、僕に次のようなインスピレーションを与えてくれました。

「……ちょっと待てよ。『メリトクラシーの究極の存在』である人工知能がありとあらゆるところに入り込むと、むしろメリトクラシーは終わるんじゃないか!?」と。

人工知能がメリトクラシーの中で最も優れた労働者となれば、人間はいくらがんばったところで、どうにもなりません。スポーツなどの競技なら人間だけで競い合うことに意味がありますが、ビジネスの世界ではすぐに交代です。人間の労働者はみんな人工知能によって退場させられるので、人間がメリトクラシーの競争のもとで働くことにもはや意味はありません。つまり、「人間の機械化」はここで終わると思うのです。

よく「人間と人工知能を対立させて考える必要はない。うまく共存していけばいい」という意見を見かけますが、「共存」という言葉の中に、まだ人間はこれまでの延長で働き続けるという前提を感じます。しかし、人間がこれまでのように働くことにもはや意味はなくなるのですから、人間が人工知能の前にひれ伏すのは決して悪いことではないと思います。むしろ、それによって人間が「労働」から解放されればいいと思うのです。

よく考えてみれば、「人工知能はメリトクラシーを終わらせるために登場した」ととらえることもできるんじゃないか？　つまり、人工知能は「メリトクラシーの最終兵器」であると同時に、「メリトクラシーの解放者」と言えるのかも!?

もはや私たちは「労働者」のような働き方をいつまでも続けるべきではありません。ましてや、社会の中で最も時代を先どりするべき学校は、子どもたちを「労働者」に育てるような教育をすぐさまやめるべきです。メリトクラシーをつくり出している「能力信仰」を捨て、「能力の評価」をやめること。それがこれからの時代をつくる鍵だと思いました。

しかし、「評価のない世界」「意味のない努力が必要ない世界」を想像してみようとした矢先に、このような声が僕の頭の中にこだましたのです。

「とんでもない！　能力の低い人が責任重大な職についたら大変なことになるじゃないか。努力をしなくなったらみんな堕落（だらく）するに決まってる。そうなったら世界は終わりだ！」

そういう想いをやっぱりぬぐい去れない自分がいたのです。

「人間は評価をせずにはいられない生き物で、無意識のうちになんでも評価を下してしまうものだ。それが人間の生まれもった本性なのだ。『評価のない世界』なんて、ありもしない空論だ！」

そういう批判がずっと耳を離れませんでした。僕がまだこれまでの常識の枠組みにとらわれている証拠だと感じました。

しかし、このことについてずっと考え続けた今、やっぱり空論なんかじゃないと僕は確信しています。

私たちは今メリトクラシーの社会にいるからこそ、あらゆるものを無意識のうちに評価してしまいます。しかし、だからといってそれが人間の生まれもった本性だとは言えないと思うのです。

学校を例にあげて考えてみましょう。学校の先生は生徒を学期ごとに「評価」しなければならない現場にいますが、実は彼らほど「評価」がいかに不毛かを思い知らされている人たちはいません。

子どもたちがいきいきと体験学習を行っているのを参観した教育界のおエライ先生が「なんだ、子どもを遊ばせているだけじゃないか。彼らはどういう学力を身につけたんだね？」と担任の先生を問いつめたため、思い悩んで学校をやめてしまったという話があるそうです。なんと罪深いことでしょう！　もし僕がこの担任の先生なら、このおエライ先生をじっと見つめてこう言います。

「先生、お言葉ですが、生身(なまみ)の人間に『学力』なんか身につけさせてどうするんですか？」

そういう時代はもう目の前です。

自ら「優秀な機械」になろうとする人間は、
遅かれ早かれ「メリトクラシーの最終兵器」
である人工知能にとってかわられる。

しかし、そのことを恐れるよりも、人工知能は
人間を機械として働くことから解放してくれる
「メリトクラシーの解放者」ととらえればいい。

それが僕の人工知能に対する見方だ。
そしてそれは、学校での学びにも変革をもたらす。

異なる点と点を結ぶ

僕は小さい頃、たまたま暗算が得意でした。それで「とても頭がいい」とほめられました。「計算力」は優秀な人間の能力のひとつと見なされましたが、コンピューターが普及した今となっては「計算力はもはや人間にとってそれほど重要ではない」ということに反対する人はあまりいないでしょう。

同じように、今学校で身につけるべきとされている「学力」、たとえば知識の豊富さや論理的思考力などは人間にとってあまり重要ではないという時代がこれから来ると思います。なぜなら、人工知能が普及することによって、そのような能力はすべて意味をなさなくなるからです。

今の学校ではそういう能力を高めるようなカリキュラムばかりだけど、だとすると、いったいこれからの子どもたちは学校でなにを勉強すればいいのだろう？

かつて僕自身、誰よりも能力を高めると幸せになれると信じてがんばってきました。実際のところ、僕はメリトクラシーの社会の中でまあまあ上のグループだったと思います。でも、だからといってちっとも幸せではありませんでした。「今のポジションからいつ落ちるかわからない。落ちるのはイヤだ！」といつもどこかおびえていました。

「そんな誰も幸せになれない信仰なんて、いったいなんのため、誰のために信じてるんだよ！」と僕は誰ともなくツッコミを入れたくなりました。しかし同時に、もう一人の僕が強い口調でこう聞いてきました。

「でも、学力や技能を身につけたらいろいろと役に立つと言われているじゃないか。人工知能がなにからなにまですべてやってくれるわけじゃなし、どれだけ人工知能が発達しても人間の仕事はなくならないだろう？　人間は人の役に立つということに喜びを感じる存在なんだし、誰かの役に立つために能力を身につけてなにがいけないの？」

それに対して、僕はこう答えます。

「今言ったことはちっともおかしくないし、悪くないように感じるよ。でもね、身近な世界ではちっとも悪くなかったとしても、社会全体として集まった時にとんでもなくひどいことになるんだ。『能力を身につけて人の役に立つようになろう』という考えでがんばる人は『自分が役に立たない』とわかった時、まったくシラケてしまう。それがひどくなると、『自分はなんの役にも立たないダメ人間だ』と考え、自分を責め、しまいには無気力になってしまう。これを『ペシミズム（pessimism）』というんだけど、それが人々の間に広がると、社会は不幸でお

おわれてしまうんだ」

ペシミズムに包まれた世界は、最も不幸な世界のひとつといってもいいかもしれません。なぜなら、あきらめで心が固まってしまうからです。それは、生きながらにして死んでいるのと同じだと言えるでしょう。

ここで再び、もう一人の僕が聞いてきました。

「確かにそうかもしれないけど、『努力しないで幸せになれないのは自分が悪い』『みんな苦しい思いをしてるんだぞ』ってみんな言うよね？」

それに対して、僕はこう答えました。

「この社会は『能力』を高める努力をしない人を責める。自分より能力が上の人たちをうらやましく思い、自分より能力が下の人たちをさげすみ、自分と同列の人たちに『ぬけがけは許さない』とプレッシャーをかける。いつも誰かの評価にビクビクしながら生きないといけないきゅうくつな社会。そんなギスギスした社会は嫌じゃない？　だから僕は、メリトクラシーはよくないとワーワー言ってるわけ」

僕が能力信仰とメリトクラシーを批判し、メリトクラシーを超えた新しい社会をつくらなければならないと考える理由は、次の5点にまとめられます。

1 「学び」から「遊び」が分かれて、どっちもつまらないものになってしまったこと

2 「能力」や「才能」という概念がやる気や自信を失わせてしまうこと

3　能力信仰やメリトクラシーがドロップアウトを生み出しやすい原因となっていること
4　本来は必要のないペシミズムにおちいった不幸な子どもたちが生まれ続けること
5　最終的にはほとんどの人の仕事が人工知能にとってかわられてしまうこと

メリトクラシーは、ペシミズムをわずらう「自己責任」という毒を「善意」というオブラートに包んで人々にたくみに飲ませ続けてきました。その毒におかされた人は、逃げ場のない袋小路に追いつめられていきます。

「自己責任」だから誰も責められない。だから自分を責めるしかない。そして自分が嫌になり、最後はペシミズムにハマって無間地獄をただようだけになる。とても恐ろしい、終わりのない不幸です。

それは決して抜け出すことのできない地獄なので、世の中では十分能力が高いと評価されている人でさえも、常に「いつ地獄に落ちるかわからない」と恐れおののいています。その危うさに直感的に感づいている母親は、子どもを助けようとする母性本能にかられて、学校から帰宅した子どもにガミガミ言い続けます。

「宿題はやったの⁉　ちゃんとやんないとダメでしょ！　試験で良い点とらないといい学校に行けないわよ！　後で困るのはあなたなんだからね！　靴下はぬいだらちゃんとランドリーボックスに入れてよね！」

こうして、地獄にビクビクおののくお母さんたちは、「ガミガミ母さん」化して子どもに嫌われるようになるのです。

ガミガミうるさいお母さんも、ビクビクおののく子どもも、どっちも不幸だよなあ……。いったいどうやってこの袋小路を超えていけばいいのだろう……。

ここでひとつだけ言えることがあります。それは、「メリトクラシーを超えたい」ということばかり考えていても、決してそれを超えることはできないということです。

英語で"Thinking outside the box"という表現があります。これは「これまでとはちがう新しい視点で、型にはまらない考え方をする」という意味です。私たちは無意識のうちに「常識」という箱の中にいるので、まず「自分たちは箱の中にいる」と気づくこと。そして、その箱から出て外から眺めてみること。そうすれば、必ず新しいアイデアが見つかります。私たちに必要なのは、まさにこういう発想なのです。

そんなことを考えていた時に、それを説明するのに最高の例に出合いました。「Nine dots puzzle」と呼ばれるパズルです。アメリカの有名なパズル作家であるサミュエル・ロイドが『パズル百科』（1914）の中で紹介したと言われています。このパズルのゴールは、ペンを持ち上げることなく、同じ線を2回以上なぞることなく、4本以下の直線を使って9つの点をすべてつなげることです。

このパズルは、9つの点をじっと見つめているだけでは答えがわからないようにできていま

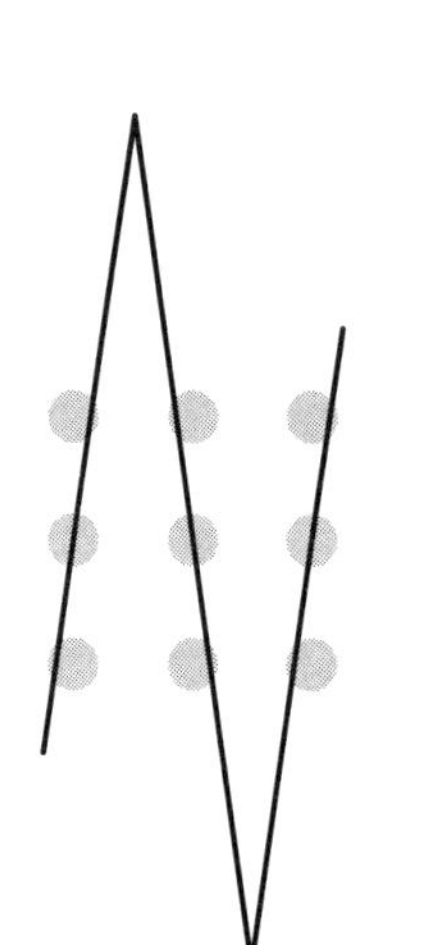

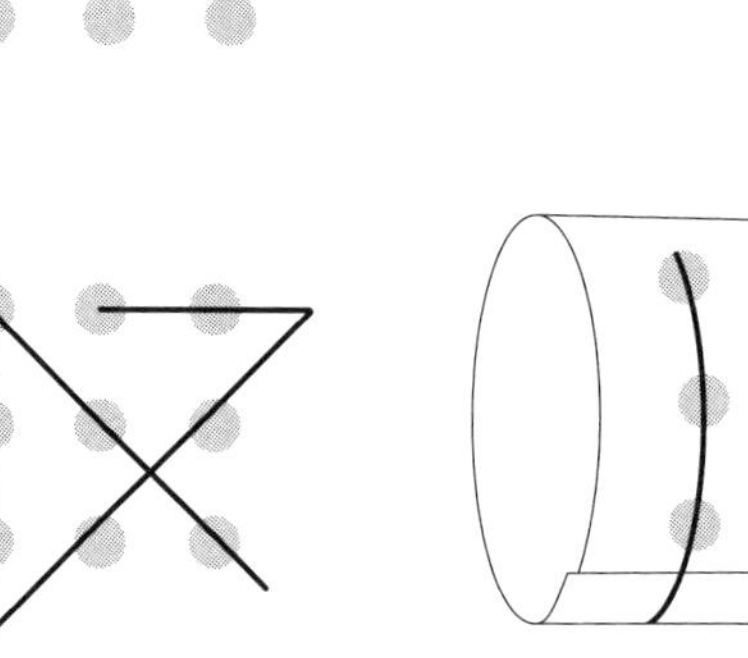

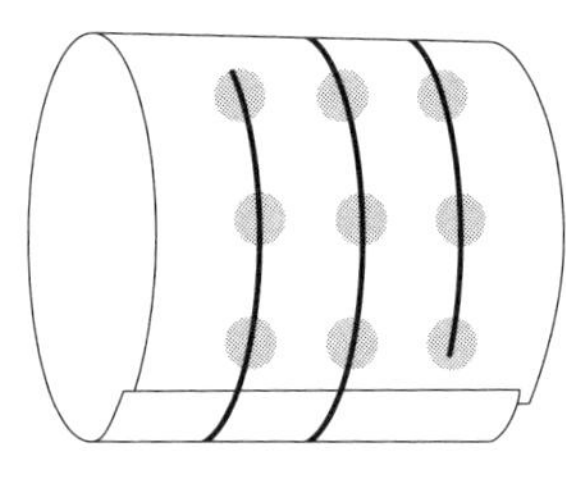

す。しかし、視野をうんと広げると、この図のような解をつくることができます。他にもいくつか解がありますが、どの解にしても、この9つの点がつくり出してしまう「箱」の外へ大きくはみ出て伸びる線を引く必要があります。

これはなかなか出てこない発想だよね。……これをヒントに、あらためて「メリトクラシーにかわる社会とは？」という問いを考えてみよう。どうしたらアイデアが出るかなあ。この問いにおける「視野を広げて線を引く」ってどういうことだろう……。

それは「異なる点と点を結ぶ」こと、つまり、様々な人々や世界とふれあうことだと思います。今までだったらつながらなかった点と点、すなわち、考え方や文化、発想などがまったくちがう人々と、まっさらな状態で交流するということです。

素敵な偶然に出合ったり、予想外のものを発見したりすることを「セレンディピティ(serendipity)」といいますが、まさに「異なる点と点を結ぶ」ことでセレンディピティが起こりやすくなる。つまり、これまでの常識を超えたアイデアやものの見方を得やすくなります。

そういう行動を続けていくと、人はメリトクラシーを超えた新しい世界を思い浮かべることができるのではないか、いや、そういう行動を誰もが自ら行うようになれば、それ自体が結果的にメリトクラシーにかわる社会を生み出すことになるのではないかと僕は思うのです。

旅に出るといろんな人や物事に出会うことができる。それもまったく予想のつかない出会いばかりだ。これもまたセレンディピティであり、僕たちが旅に出る理由なんだろうなあ。

Q

どうして「学力」を高めないといけないのか？
（なぜ大人は勉強しろというのか？）

子どもがつまんない形で学力を高めなければならない理由、それは親がそう子どもに求めるからです。その裏側には「能力」という概念があり、能力を高めないと自分の子どもが一人前にならないという、親の思い込みがあります。つまり、「能力を高めれば幸せになれる」という能力信仰こそが、学力を高めないといけない大きな原因だったのです。

「そもそも能力ってなんだ？」ということに疑問を持った僕は、能力という概念が生まれた経緯をたどり始めます。そして、ダーウィンの進化論とメンデルの遺伝学に衝撃を受けたフランシス・ゴルトンが人間の個人差を研究する優生学を生み出し、知能指数に代表されるような人間の能力を測る学問の研究が進み始めたことを知ります。

もともと知能指数は、知的障がい児を見分けるためにつくられたものでした。ところが、帝国主義の植民地政策を正しいものだと思わせるために人種や民族のランクづけに悪用されるようになり、その後は労働者をふるいにかけたり、やる気を出させたりするために用いられるようになります。さらに時代が進むと、能力は社会に存在する万能な通貨のようにみなされるようになり、人々は「幸せになるためには能力を高めなければならない」「能力さえあればなんでもできる」と考え、能力そのものが信仰の対象になりました。

その能力信仰をゆるぎないものにする役割を果たしているのが、他でもない学校だったのです。子どもたちは能力を高めるために、必死に勉強することを強いられるようになり、「子どもたちを保護し、すべての子どもたちに自由で平等な教育の機会を提供する」という理念がむしろ人々に自己責任を問い、格差や不平等があってもしかたがないと思わせ、自由な学びの機会を奪うようになってしまいました。

このように「能力」とその信仰が生まれるプロセスを知った僕は、能力そのものに疑問を持ち始めました。そして、能力がいかに実態のない無意味な概念であるかを明らかにし、「能力はあくまでも結果論であり、相対評価でしかない」という結論にたどりつきます。

能力は信仰にすぎない。そして、運や才能も迷信にすぎない。にもかかわらず、それらにすがる人がなんと多いことだろう。その上につくられた評価やテストにもなんの意味もないにもかかわらず、それに一喜一憂する人がなんと多いことだろう。こうしたものはこれからの時代にはもう必要ない。そのかわりに「アプリシエーション」という励みがあればいい。

それが僕の結論でした。

Q

どうして子どもは夢中なまま大人になっていくことができないのか？

そして、このような状況が変わらない根本には、「能力によってその人間の地位が決まる」と考える現代社会の基本原理「メリトクラシー」があることをつきとめます。産業革命の後、人間が生産システムの一部に組み込まれて機械のようにあつかわれるようになると、人々も自ら優秀な機械のようにありたいと考える「人間の機械化」が進行しました。そこに市民革命以降、さかんに叫ばれるようになった「自由と平等」という理念が合わさり、メリトクラシーがつくりあげられました。

メリトクラシーには大きな問題があります。それは、「できない人たちがどんどんドロップアウトし、社会がどんどん分断されてしまう」という問題です。それがわかった後、僕は途方に暮れてしまいました。なぜなら、メリトクラシーは人々に「脱落する人は努力が足りないのだからしかたがない」と自己責任を強いる性質を持っていて、表面を改善したくらいでは社会の分断を解決できないという現実にぶち当たってしまったからです。

ともあれ、能力信仰と自己責任がメリトクラシーを形成し、それが人々を分断し不幸に追いやっているということがわかりました。そして、学校はその信仰を強化し、その結果、学校での勉強がつまらなくなっているのだということもわかりました。

こうした問題をクリアできる、新しい世界はどう構想すればいいのだろう。そのいとぐちを探るために、僕はさらに視野を広げて問いを深掘りすることにしました。

第 4 章

探究しよう

EXPLORE

好きなことだけして
なぜいけないの？

なぜ、好きなことだけして
生きていけないのだろうか。
そもそも、なんのために
努力をする必要があるのだろう。
自分のため？　人のため？
「役に立つ」ってどういうことだろう。

そんな根本的なことさえも
よくわからなくなってしまった僕は、
行き先も明確に描けぬまま、暗中模索（あんちゅうもさく）の
旅に出かけることにした。

そして、そこに大いなる発見があった。

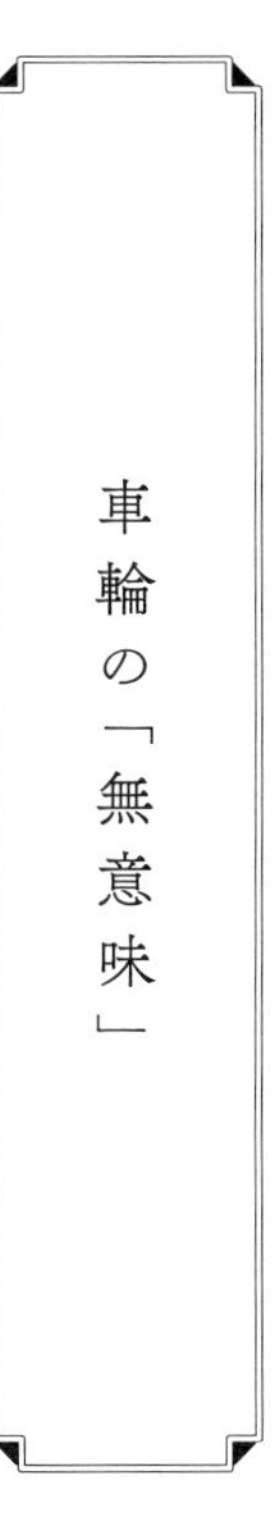

車輪の「無意味」

学校で能力を身につけることを求められるのは、「役に立つ人間になることで社会の一員として生きていくため」というのが理由でした。しかし、社会の役に立つために能力を身につけようとがんばることが、結局はすさんだ社会を生み出すことにもなるのは指摘したとおりです。そうなると、「じゃあ、なんのために学ぶの？」と誰もが疑問に思うでしょう。この素朴な問いについて考えるために、さらに根本の問いまで掘り下げてみようと思います。

そもそも、「役に立つ」とか「役に立たない」とかいうのは、どういうことなのでしょうか。「自分の役に立つか立たないか」という判断ならまだしも、「社会の役に立つかどうか」という判断は、いったい誰がどういう基準で下すのでしょうか。

それを考えるにあたり、アートをひとつ紹介したいと思います。フランスのアーティスト、マルセル・デュシャンが１９１３年に発表した「自転車の車輪」という作品です。彼は新しいコンセプトをまとった作品を次々に発表し、20世紀から21世紀の美術に最も影響を与えたアーティストの一人とされています。

◆

僕がその作品を初めて知ったのは、ニューヨーク近代美術館（MoMA）を訪れた時のことでした。その作品は、陳列されている作品群の中でもひときわ異彩を放っていました。はじめは「なんだか奇妙な作品だな」と思っただけでしたが、なんだかその作品が心に引っかかった僕はその後、デュシャンの生涯や作品の解説書を手にとるようになりました。そしてふたたび、その作品を目にしたのです。

題名は「自転車の車輪」。丸いスツール（腰掛けイス）に自転車の車輪を逆さに取り付けただけ。これが作品？　なにか「意味」があるのだろうか……？　僕がその写真をじっと見つめていると、車輪は今にも回り出しそうに思えました。

クルクルクルクル……

あれ？　本の中の車輪が本当に回っている!?　目をこすった瞬間、僕はまたしてもあの白い光に吸い込まれていきました。

そこは真っ白な直方体の部屋でした。その部屋をかこむ建物は、黒いガラスでおおわれた直線を基調とする建築で、軽やかさと重厚さが共存した不思議なたたずまいです。目の前には、「自転車の車輪」だけがポツンと置いてあります。その隣には、ピンストライプのシャツに黒いネクタイとジャケット、髪をオールバックにしたダンディな男性がひとり、回る車輪を見つめています。

「この作品を気に入ってくれたのかい？」マ、マルセル・デュシャン！　呆然と見つめる僕に目もくれず、彼は車輪をじっと見つめています。彼は車輪に手を伸ばしながらこう語りかけてきました。

「ご覧のとおり、これはイスとして座れないし、自転車としても乗れやしない。まったくなんの役にも立たないシロモノだ。つまり、この物体の存在の意味は皆無。そうだろう？」

見れば見るほど本当に奇妙な物体だ。車輪の回転する音だけが、カラカラと不気味に響いています。

「人が乗って地面を転がるためにあるべき車輪が空中に投げ出され、人が座って身体を支えるためにあるべきイスが車輪に占拠されている、というわけだよ。ククク」

彼は愉快そうに言いました。

「自転車の車輪しかり、ス

マルセル・デュシャンの「自転車の車輪」

ツールしかり、我々の身の回りにあるモノは、なにかに使われるために存在している。そしてそこには『機能』というものが存在する。だから、あるべきモノは、あるべきところにあるわけだ」

彼はポマードでかためた髪をなぞりながら、ゆっくりと話を続けました。

「その『あるべきものはしかるべきところにあるべき』というあたりまえを無視したのさ。モノが持っている意味をこっぱみじんに破壊してみせたんだよ」

彼はポケットから1枚の紙を取り出すと、それを朗読し始めました。

「あれは1913年のことだった。私はキッチンにあるスツールに自転車の車輪を取り付けると、それを回して見るのを楽しんだ。車輪が回転しているのを見ると和やかな気分になった。まるで暖炉の火を眺めているときのように」

そう読み終えると、彼はまた手を伸ばし、車輪を回転させました。

「私にはくるくると回して楽しいものなのだがね。十分に役に立っているよ」

車輪を回すと、回転が速くなるにつれてスポークの残像がだんだんとけて見えなくなり、運動エネルギーが落ちて回転速度が遅くなるにつれてまた見えてくる。この車輪が自分の気持ちをとても和やかにしてくれた、と彼は言います。

そうか、もしかしたら彼はこの作品で、「役に立つとはどういうことか？」「モノが持つ意味とはなんなのか？」ということ自体を問いかけているのかな……⁉　そして、「役に立つ」とか「便利だ」という点でいえばなんの価値も見いだせないこの物体は、まさに「意味がない」

という一点において、私たちに「それを見いだす意味」をもたらしている……!?

「意味というものは、人間がいる限りどこまでいっても必ずついてまわる。だから、この車輪にも必ず意味が存在しているのだよ」

車輪はくるくる回り続けています。

「思考には『これまで積み重ねたものを捨てることで、新たな思考が生まれる』という作用が根源的にひそんでいるのだよ。よく考えてみるといい」

ふと気がつけば、僕は美術書を手にいつものイスに腰かけていました。腰かけられないスツールを思い出し、僕は思わずイスをしげしげとながめました。

◆

私たちは常に、「なぜそのモノが存在するのか?」という意味を考えずにいられません。「つかえる」とか「便利だ」といった価値にしか意味を見いだせないのです。そんな「常識」というフィルターを取りはらって、そこにあるモノをただ純粋に見ることができれば、新しい意味を発見することができる。

「自転車の車輪」という「無意味な物体」には、僕たちにそのことを気づかせてくれるという大いなる「意味」があったのでした。

積み重ねたものを捨てることで新たな思考が生まれる。デュシャンさんのメッセージが、そ

マルセル デュシャン
Marcel Duchamp
(1887-1968)

れ以来ずっと僕の心に響いています。

言葉で伝えようとすると本1冊分くらいかかりそうなことを、デュシャンさんはひと目でズバッと直観できる芸術作品で表現してみせたのです。このような哲学的な思考を芸術的に表現した人は、デュシャンさん以前には誰もいませんでした。

「無意味」という否定の後の「だからこそ意味がある」という大いなる肯定。「壊して捨てる」という破壊的な姿勢の後の「だからこそ必ず新しいものが生まれる」という創造的な姿勢。この小さな作品は、スケールの大きいメッセージを力強く物語っています。

この観点からいえば「役に立つか立たないか」という判断基準や価値基準は、あくまでもいろいろとある基準のひとつにすぎません。「役に立つか立たないか」の基準は様々で、意味を見いだすのは私たちである。そのことを理解した時、僕は目からウロコがぼろぼろと落ちていくような感覚にとらわれました。この感覚は、これから問いを深めていくにあたってとても大事だとつくづく感じます。身体全体で得た理解は、常識にとらわれずに良い問いを立て続けるうえで大いに「役に立つ」からです。

そして同時に、人間は「役に立つか立たないか」という意味を見いだそうとする習性からなかなか逃れられないことにも気づかせてくれるのです。

なんの役にも立たず、意味のない車輪。

それは、「意味がない」という一点において、
私たちに「意味を見いだすという意味」を提示し、
結局のところ、「私たちの役に立って」いた。

考えてみれば、役に立つかどうかは
ひとつの基準からしか見ていないことが多い。

それはものの見方として貧しいとも言えるだろう。
そして、そこに新しい意味を見いだすことができるのが
私たち人間の持つ可能性なのだ。

無用之用

デュシャンさんの「自転車の車輪」に込められた問いを考えているうちに、僕はある言葉を思い出しました。それは古代中国の「無用之用」という言葉です。あらためて、僕はその言葉の元となった戦国時代の中国の思想家・荘子の『人間世篇』（紀元前３００頃）を紐解きました。

◆

「無用之用」が出てくる前後を読み進めながら「無意味の意味」について考えをめぐらせているうち、気がつけばすっかり夜もふけていました。

本を片手にうとうとしてきたところへ、ひとひらの蝶がひらひらと舞い降りてきました。いつの間にか、あたり一面は花畑です。蝶は花のまわりをひらひらと飛びまわり、喜々として蝶そのものでした。その姿を眺めているうちに、僕はもはや自分が自分であることもわからなくなっていました。僕は夢の中で蝶になっていたのです。

ところが、いいところでにわかに目が覚めました。僕はまぎれもなく僕でした。

今の蝶の夢は、僕が見ていた夢なのだろうか。

それとも、蝶が僕の夢を見ていたのだろうか。

花は蝶になにかをもたらしたのだろうか。

それとも、蝶が花になにかをもたらしたのだろうか。

そんなことをぼんやりと考えていた時、いきなり空中に小さな光の粒が現れました。その粒は少しずつ伸び始め、線となり、文字になっていきました。

「人皆知有用之用。而莫知無用之用也」

その文字が、先ほど読んだものと同じだと気づいたその時でした。どこからともなく、しわがれた老人の声がかすかに聞こえてきたのです。

「人はみな有用の用を知るが、無用の用を知るものはない。はて、おぬしにはこの意味がわかるかのう？」

人は「役に立つか立たないか」という、せまいものの見方しかできない。一見役に立たないと思われているものが、実は大きな役割を果たしていることがよくあるのに、人はそういったものにはまったく目がいかない。たしか、そういう意味でした。

すると、先ほどの声が少しずつ大きくなってきました。

荘子
（紀元前369頃-286頃）

「器は粘土をこねてつくるが、中が空っぽだから、器として役に立つ。家は戸や窓をくりぬいて建てるが、なにもない空間だから、部屋として用を為す。つまり、形あるものが役に立つのは、なにもないからこそよ。のう？」

つまり、役に立つか立たないかは、ものの見方次第であり、実はこの世の中に役に立たないというものはない、ということだ。

僕たちは、つい目先のせまい視野で良し悪しを判断してしまう。本当はもっと広い視野でものを見られるのに、一度「役に立たない」と判断してしまうと、秘めた可能性になんか目もくれず、簡単に見捨てたり切り捨てたりする。すぐに思考が停まってしまう。

「おぬしの生きておる世界はどうなんかのう」

最近の人間は効率や合理性ばかり追い求め、ムダを目の敵にしていますよ……。本当に省くべきムダはそのままになってますけどね……。あ、いかんいかん。つい皮肉を言ってしまった。

ともあれ、ものの見方をずらすこと。常識の枠組みを外し、新鮮な目で見ること。それを心理学では「リフレーミング（reframing）」って言うって聞いたことがあるけど、新しい時代をつくるにはそういう態度が大事だと思います。その意味では、しくみの中に「ムダ」や「余白」は積極的に残しておいたほうがいいと思います、荘子先生。

姿は見えませんが、声の主が彼であると確信した僕はそう答えました。彼はそれに対してなにも答えず、こう問いかけてきました。

「そういうものの見方ができるのは、この世に人間しかおらんかものう」

そうか！　物事をリフレーミングして新しい意味を見いだせるのは、動物でも人工知能でもなく、人間だけだ。それこそが人間の役割だ。つまり、これからの時代の僕たちの仕事は、「社会にいかにムダや余白を組みこむか」を考え、いつでもリフレーミングができるようにすることなんじゃないか⁉

僕はすごく興奮して、深夜であることも忘れて思わずソファに飛び乗ってしまいました。すると、また声が聞こえてきました。

「わしは今日、おぬしになにも授けておらぬ。いくつか問うただけのこと」

たしかに。荘子先生にいくつか問われて、僕が自分で考えたり、気づいたりしただけだった。先生はただそこにいて、問いかけてきただけとも言える。

「わしは『空っぽ』じゃ。はて、これもまた『無用之用』なのかのう」

その言葉を最後に、声は二度と聞こえなくなりました。

答えはおろか、新しい知識もなにも授けることのない『空っぽ』の先生との対話――。たしかに、先生の存在は僕にとってあの器や家のようなものだったのかもしれない。つまり荘子先生は、その存在自体で「無用之用」を体現していたのか……うわああ！

さっき以上に興奮した僕は、荘子先生の言葉を噛みしめながら、おもむろに本を閉じました。

◆

これだけ深みのあることを、荘子先生は「無用之用」というわずか4文字の言葉に込めたのでした。それにしても、これは非常にうまいたとえだと思います。優れた哲学者や思想家は、物事の裏にひそむとても大事な、しかし説明がとても難しいことをあえて逆説的に表現することがあります。そして、そのほうがむしろうまく言い表せることがあります。それは、逆説的な表現を用いることで情報の受け手側がリフレームする余地、すなわち「あそび」があるからなのかもしれません。

ここで思い出すのが、幼き日の父の言葉です。僕が小学生の頃、帰宅するとたまたま父が家にいて、「おかえり！　今日は学校でなんば習った？」と聞いてきたことがありました。それで、今日習ったことを話すと、父は「そうか、そりゃ良かったのお。やけどな、泰蔵、ようと聞けよ。学校の先生（筑後弁では「シェンシェイ」と発音しますので、そのように再現してください）は嘘ば言うけんな！　先生の言うことば聞いたらいかんぞ！」と真顔で僕に言いました。

僕はびっくりして、「そげん言うけど父ちゃん、学校の先生はよかこつば言う人やろうもん!?」と返しました。すると父は「うんにゃ、嘘ば平気で言うけん、言うことば聞くなよ！」と再び言葉を重ねたのでした。大人である父が学校と先生を批判し、子どもである僕が学校と先生のフォローをするという、ふつうとは逆の構図がそこにはありました。

父があまりにも非常識なことを言ったので、それ以来、僕はずっと「あの時、なぜ父はあんなふうに言ったのだろう？」と不思議に思いながら育ちました。大人になってからも、その疑問はずっと続いていたのですが、自分が子どもたちの学びに関わるようになって初めてその答えがわかったような気がしました。「ああ、親父はきっとこういう気持ちで言ったんだろうなあ」と腑(ふ)に落ちたのです。

要するに、父は「人の言うことをうのみにせず、常に自分の頭で考える習慣をつけなさい」ということを言いたかったのです。これを「クリティカルシンキング（critical thinking）」といいます。

しかし、それを当時の僕のような小さい子にふつうに言ってもなかなか響くはずがありません。なので、父は「ガッコーのシェンシェイの言うことは聞いたらイカンバイ！」と逆説的な表現をしたのだと思います。そのおかげで僕は今でもこの衝撃的な言葉を鮮明に覚えていられるわけで、その意味では、父はそのことをうまく言い表し、僕にもしっかり伝わったわけです。

なぜそれが腑(ふ)に落ちたかというと、子どもたちを見つめていて、「ああ、この子たちは涙が出るくらい本当にかわいいなあ。こんなにかわいい子たちに、自分は人生の先輩としていったいなにを伝えられるだろうか。自分だからこそ言える、人生において本当に大切なことを伝えたい」と心の底から思ったのです。

きっと父は、「この子にどう言ったらうまく伝わるだろう？」とあれこれ考えた末に、彼なりのユニークな表現を選んだのでしょう。

僕はそれを悟った時、父の自分への愛情を感じ、涙が出ました。

役に立たないものが役に立つ。
「無用之用」という言葉を用いた荘子先生は、
ものの見方をずらし、常識の枠組みを外し、
新鮮な目で見て逆説的に語ることが得意だった。

問いを投げかけ、対話する。
そのほうが、教えられるよりも学びが深い
ということに気がつかせてくれた恩人だ。

そして、それをさらに鋭い切れ味で突きつけ、
僕の心により深く刻んでくれた人に出会った。

悪人正機（あくにんしょうき）のカミソリ

これからの教育の新しい意味、そして教育の場である学校の新しい意味を考えるにあたり、「自己責任」をベースとしたメリトクラシーを超える必要があることは先にお話ししました。

とはいえ、いきなり超えることはなかなかできないので、まずは僕自身が能力信仰に別れを告げるところから出発しようと考えています。

具体的には、「役に立つか立たないかはものの見方次第で、世の中に役に立たないものはひとつもないはずだ」という「無用之用」を信じて生きていこうと思っているのです。つまり、「無用」なものまでも視野に入れ、「すべては複雑にからみあっていて、だからこそ豊かな世界が生み出されているのだ」という世界観を持つようにするのです。そうやって生きていくほうがよほどおもしろくてやりがいがあり、みんなが幸せに生きていけると僕は信じています。

あらためて考えてみれば、意味があるとかないとか決めているのはすべて人間です。私たちは「役に立つものは意味があり、役に立たないものには意味がない」という世界に住んでいて、「役に立つ人」以外はとても生きにくい世の中です。

しかし、人間はいつでも「役に立たないもの」になってしまう可能性があります。事故や病気でそうなってしまうこともあるでしょうし、そうでなくても「老い」はすべての人に必ず訪れます。自分がそうなってしまった時、「役に立たないものには意味がない」という考えのままでいると、自分に対して自ら「役に立たない」という烙印を押さざるをえません。しかし、そんな誰ものびのびと生きられない世界でいいはずがありません。だからこそ、僕はこのような無慈悲な信仰にサヨナラするべきだと強く思うのです。

ここで思い出すのが、鎌倉時代初期から中期にかけて、生きる苦しみと向き合いながら一生を送った仏教僧、親鸞です。彼はこの世に生きる人間のあらゆるありさまをじっくりと見つめ、「一切の苦しみをのり越えること」という仏教の教えの意味を掘り下げ、「悪人正機」と「他力本願」というコンセプトをつくり上げました。「仏教の修行者だけに限られていた救いの可能性をすべての人に開き、大きなインパクトを残した」と言われる、日本を代表する思想家の一人です。

◆

僕は、一度は失われてしまった親鸞さんの思想が書き留められた『歎異抄』（1288頃）を紐解くうちに、すっかりその内容にひきこまれてしまいました。薄手の書物ながら、彼の教えが詰まっていて、読み進めるたびに深く考えさせられました。

彼は人間の本性について、「善人」と「悪人」という言葉を引き合いに出し、次のように説いていました。

「善人なをもて往生をとぐ、いはんや悪人をや。しかるを世のひとつねにいはく、悪人なを往生す、いかにいはんや善人をやと」

善人ですら浄土へ往けるのだから、ましてや悪人が往けるのは当然だ。しかし世間の人は常にその反対のことを言う、という意味だといいます。

え⁉　なんだって⁉　僕は思わず自分の目を疑いました。古今東西のどの聖人君子の言葉を聞いても「善人が救われる」というのが世の常です。それに対して「悪人こそが必ずや救われるだろう」という彼の言説は真逆を行っています。

いったいなにを言ってるんだろう……。僕が読みまちがえているんじゃないか……？　目を凝らして何度も読み直していた時のことでした。あの白い光が再び輝き始めたのです。

気がつくと僕は、古寺の本堂らしきところで、僧侶たちの末席に座っていました。広い縁側からこちらへそよ風が吹き抜けていきます。一人の若いお坊さんが、高齢のお坊さんにたずねています。

「それでは上人は、善人つうよりは悪人のほうが救われるとおっしゃるのけ？　そんなら、誰がいったい善行をして、善人になろうとするんだっぺ？　善人になる人がいねえんなら、この世はもっと悲惨なことになっちまあべよ」

「上人」と呼ばれたお坊さんは親鸞さんにちがいない。すると、たずねたのは歎異抄の作者と言われる唯円さんだろうか。そんなことを想像していると、親鸞さんは愉快そうに若い僧に言いました。

「唯円や、あんたは『他力本願』をあんじょう学んでもらえやしまへんやろか」

えっ。「他力本願」というと、もっぱら「他人の力をあてにすること」という意味でよくつかうけれど、そういうことじゃないのかな。

「『他力本願』とは、他力を憑むこと、つまり阿弥陀仏の本願を拠りどころにするごどだど、上人さまに教えでいたでえた」

親鸞さんは「まあそやな」とうなずきましたが、それに満足しなかったのか、隣のお坊さんに続いて聞きました。

「性信や、『他力本願』とはどういうこっちゃ?」

後で調べてわかったのですが、性信さんは親鸞さんの一番弟子でした。唯円さんと同じ常陸国出身の彼が、唯円さんに向かって語り始めました。

「阿弥陀さまは、死んじまった後のことを思って暗くなる心、どこまでも尽きることのねえ欲望、人間の迷いや苦しみなんど『無明の闇』がらすべての人々救いたいと願われたんだっぺ。『他力本願』っつうのは、その阿弥陀さまの願いの力によって救っていただくことなんだっぺよ」

つまり、「他力本願」とは、「すべての人間を苦悩から救おうとする阿弥陀の存在を信じ、それを心の拠りどころにして生きよう」ということだといいます。阿弥陀の力、すなわち「他力」を支えにして、「無明の闇」をいたずらに心配せず、強く明るく感謝の気持ちをもってお互いにうやまい助けあう人生を送ろうということだそうです。

「けんど、上人さま。先ほどおっしゃった『善人』や『悪人』のお話はどうなんだっぺ？」

若手の弟子ゆえ恐れを知らない唯円さんの声に、僕もあわてて親鸞さんのほうを見ました。

「『善人』いうのは、『うちは善い行いをしてる』いうて、『自力』で幸せになろうとしてはる人間のことやわな。せやけど、なにをもって善いことしてるいうかは、自分勝手やわなぁ。そういうのを独善的っちゅうんやないかなぁ」

親鸞さんはなんとも気楽に、つぶやくように話します。

「一方、『悪人』っちゅうのは、はなから『他力』にすがって生きてはるやろ。『悪人』こそ、もともと阿弥陀仏がお救いになろうとしやはった人たちなんやないかなぁ」

そして、親鸞さんは「『自力』をとことん出し尽くした時に初めて感じられる『他力』を、君は感じとることができるか？」と、問いました。つまり、「他力」を本当に実感するためには「自力」を尽くすことが大事であると、「自力」の重要性を逆説的に説いたとも言えるのです。

この時、親鸞さんの目が一瞬きらりと光り、僕を含めその場全員が心の内を見透かされたように思えました。唯円さんが熱を帯びた声で答えました。

「ああ、阿弥陀さまは、ひとりよがりな『善人』でさえもお救いになるほど慈悲深かっぺ。ましてや、はじめっから阿弥陀さまを頼りにしている『悪人』は必ずお救いになる、そういうことなんだっぺ！」

善いことをしていて、素晴らしい人に見える人間の中にさえも「うぬぼれ」や「独りよがり」がひそんでいることをあぶり出していたのです。なんとすごい思想だと僕は思いました。唯円さんの話を受けて、親鸞さんが続けます。

「因がもたらされ、縁によっては、思わぬ果を生む。つまり、善と思って行ったこと（因）が、善をもたらすこと（善果）もあれば、悪をもたらすこと（悪果）もある。どのような果を生むかわからんっちゅう自覚を持つ人こそ悪人なんや」

それを聞いた唯円さんが答えました。

「上人さまがいつもおっしゃっていることを思い出したっぺ。おらたちはひとりでは生きらんねえ。だからこそ、どんな縁で誰とつながってるかわからねえぐれえ、生きとし生けるものとの不可思議なつながりでようやく生きでいられるのだど。悪人というのは、そうた事実をしっかり自覚している人だっちゅうことだっぺ。……ですが上人さま、」

唯円さんが心もとなげに言いました。

「お話をうかがっておりますと、『悪人』のほうが優れた人みだぐ思えます。どうせ阿弥陀さまが救ってくださるからと、安心して悪事をはたらけそうにも思えます」

もっともな質問だと僕も思いました。親鸞さんは落ちついた様子でうなずくと、もう一段低い声でこう言いました。

「唯円や。ほな、外行って1000人殺してきよみよし。ほなら、あんたは救われるんちゃうか」

親鸞（しんらん）
（1173-1262）

唯円さんは驚きのあまり、口を開くことができません。

「言うても、絶対でけへん思うで。なんでやいうたら、悪をなすやら善をなすやらいうことは、あんたが決めることやのうて、運命（宿業）によって決まることやさかいな」

ようやく口を開くことができた唯円さんは、悲壮な面持ちで親鸞さんにこう聞きました。

「上人さまは、おらたち人間は善をなすことも、悪をなすこともできねえと、こうおっしゃるのけ？　ほんじゃ、おらたちにはいったいなにができるというんだっぺが？」

とまどう唯円と僕に向かって、親鸞さんはきっぱりと言いました。

「なにもでけしまへんのや」

そんなことはない！　なにもできないなんてことはないだろう⁉　僕たちは日頃、善かれと思うことを行い、悪いことはしないようにして生きているじゃないか。だからこそ、世の中は「うまく」とは言わないまでも、「ましに」動いているんじゃないか。それを「なにもできない」とは、いったいなんてことを言うんだ！　僕は思わず、そう反論したくなりました。

きっと親鸞さんは、善や悪は「結果に対する後知恵の評価」にすぎないと言いたいのでしょう。頭ではわかります。でも、僕ははたしてこの言葉を心の底から受け入れることができるだろうか。胸がどくどくと脈打っています。

再び現れた光に包まれながら、最後にこんな声が聞こえてきました。

「どない聞こえのええ考えやいうても、そら独善にすぎひんと思うで。それ自覚してはりますのん？」

◆

善いことと悪いこととは正反対の2つの概念ではないということ、そして「自分は善いことをしようとする意志を持っており、決して悪いことはしないでいられる」と信じている人のほうが、本当はどうしようもなく救いのない人、つまり、むしろ救われるべき人なのではないかということ。親鸞さんの言わんとしたことは、このようなことじゃないかと思います。

「善い行いをしよう」と強く思っている人は、他人にも「善い行い」をさせようと押し付けるところがあり、ともすれば、正義感から「なぜそうしないの？」と問い詰めかねません。なんなら、「善い行いをしない人は酷い目にあってもしかたない。自業自得だ」と思うようなところすらあります。親鸞さんに言わせれば、「それは決してちっとも善くないじゃないか」ということではないでしょうか。僕は親鸞さんに、鋭いカミソリを喉に突きつけられたような気がしました。

こんなことを言ってしまう親鸞さんですから、彼の思想は旧来の仏教をかなり否定するものだとして、時の権力者たちから厳しい弾圧を受けます。1207年には念仏禁止令が出され、越後に流されました。親鸞さんはその時から「非僧非俗」となり、僧侶の戒律を破って妻をめとり、肉食もためらわなくなったといいます。

うわ、親鸞さん、めちゃめちゃロックなお坊さんやなあ！

ともあれ、親鸞流の逆説的、反語的な表現の中に、みんなを救おうという精神が見られます。「自力」に頼る「善人」でさえもポテンシャルがあるのだから、「悪人」にはさらに成長のポテンシャルがあるんだぜ、と言っているのです。これはなんと救われる言葉でしょうか。

僕はこの言葉の真意を知った時、本当にグッと胸にこみ上げるものがありました。デュシャンさんと同じく、ここにも否定の後に大いなる肯定があります。親鸞さんのこの思想を「悪人正機」と言いますが、この真の意味を理解しようとする時、私たちは彼がえぐり出した人間の本質に向き合うことになります。しかし、その後には大いなる救いが待っているという、とても心の広い、慈悲深い思想だと思いました。

教育は人間のあらゆる活動の中で最も心が広いものであるべきです。「教育」という言葉は「教え、育む」という意味ですが、僕はこれを「学び合い、育み合う」という「学育」という言葉に言いかえたいと思っています。学び合い、育み合うという姿勢には、どこにも心のせまいところがありません。なんであれ、いつであれ、学びにならないことなどなにもない。ただ学びたいという好奇心と成長したいという気持ちを持つ人であれば、誰が来たってかまわない。そんな新しい学びの場を、僕はつくってみたいと今思っています。人間は学んで成長していくから人間なのだ。そして、この世に役に立たないものなんかない。ものの見方を変えれば、つまり、自分が変われば、世界はいつだって変えられる。そして実際にそれをやってきた偉大な先人たちがいる。僕たちは一人じゃない。

そういう考えを胸に、僕はこれから生きていきたいと思います。

自力よりも他力。善人よりも悪人。

親鸞さんの説いたことは、
私たちの常識とはまるで逆に思える。

最初はなかなか理解しがたいけれど、
その本当の意味を知れば知るほど、
深く、静かに、その想いが心に響く。

デュシャンさん、荘子先生、親鸞上人の逆説。
否定の後の大いなる肯定は、
僕に多様なものの見方を教えてくれた。

答えるな、むしろ問え

世界には大きいものから小さいものまで、いろいろな「問題」があります。

人種差別を例に考えてみると、その背景には、経済格差や社会保障の問題などが複雑にからみあった「システミック（systemic）な人種差別」があると言われています。法律や規制などシステム上に明らかな不平等がある「システマティック（systematic）な不平等」とはちがい、システムをつくり上げる要素一つひとつには差別的なことはどこにもないにもかかわらず、それらが合わさった時に差別されるようなことが起きているのです。

そういった「システミックな不平等をどうやったら改善できるのか？」という問いについて考えろと言われると、みんな答えに困ってしまいます。

サイエンスやテクノロジーの世界ではよく、原因をつきとめるために大きな物事を要素に分解し、一個一個を観察してダメなところをそれぞれに改善し、それらをもう一度組みあげるというやり方で問題を解決しようとします。そういう還元主義は、わかりやすくてパワフルな方法論なので、多くの人が社会問題のような複雑な難題もこの方法で解決を図ろうとします。

しかし、実際にはこのようなやり方はまるで役に立ちません。それどころか、分解してみてもなんだかよくわからないとか、そもそも分解できないとか、実際にやってみるといろいろ困難に突きあたり、結局お手上げになってしまいます。

実は、論理的に解決できるようなシンプルな問題はすでにかなり解決しています。逆に言えば、今残っているのは還元主義のような方法論では解決できない、複雑で大きな問題ばかりなのです。

しかも、どんなに学問や技術が進歩しても、問題が解決するどころかむしろ増えているのが現状です。ちょっと不思議なようにも感じますが、その解決のいとぐちはいったいどこにあるのでしょうか。

それは、「核心を突く良い問いを立てること」だと僕は思います。

差別の問題であれば、まず「そもそも、なぜ差別ってあるんだろう？」といった根本的な問いを立て、その問いをどんどん深めていくのです。「人種差別と一言でいうけれど、そもそも人種ってなんだろう？　遺伝的な話なのか？　肌のメラニン色素が濃いか薄いかなのか？」などいろいろな問いを立ててみます。

そのうちに、「ここから先は実際に調べてみたり手を動かしてみたりしないとわからない」というところにたどり着きます。それで実際に手を動かしてみる。そうすることで初めて見えてくることがあり、それまでの問いがより深いものになる。そしてまた次の行動を起こす。そこからさらに新しい問いが生まれる。こうしたプロセスを繰り返していくのです。

ちなみに、生物学的・遺伝学的には人種というものはないと言われています。最近の研究成果として「ある人種に特有のＤＮＡの配列みたいなものは存在せず、あるのは個体差だけだ」ということがはっきりしてきました。それは実際に「調べる」という行動を起こしたからわかったことです。

「でも、明らかにアフリカ系の人やアジア系の人といった傾向はあるよね。それはなんなの？どこに境目があるの？」という疑問が当然出てきます。「それはただのグラデーションだ」などの意見も出てくるでしょう。すると「そのグラデーションは何段階なんだろう？」という問いが必然的に生まれ、「５段階だ」「６段階だ」「17段階だ」「いや２５６段階だ」などいろいろな見解が出てくるはずです。「そもそも人間は何段階を識別できるのか？」といった問いも生まれるかもしれません。

このように問いを立て、仮説をもとに調査や研究などの行動を起こし、そこから新たな問いが生まれ、また研究するというプロセスを続けることを「探究」といいますが、たどってきた道をふとふり返ってみると、「ああ、結構いろんなことがわかってきたな」という事実に気がつきます。

「イノベーション」といわれるものは、まさにこのような中から生まれるのではないかと思います。誰かがユニークな問いを立てて行動を起こし、あくなき探究を続けた結果、たまたま画期的な新しい発見や発明が生まれた。それらが普及してふと気がついてみると、これまで問題だとされていたものがたまたま解決していた。それを後世の私たちが「あれはイノベーションだった」と評価しているのです。

偉大な発明や発見はひょんなことから生まれたというエピソードがよくあります。たとえば、ニュートンはりんごが落ちるのを見て、万有引力の存在に気づいたという話がありますが、当の本人は「イノベーションを起こすぞ！」なんて思っていたわけではないはずです。「重力」という物理学の大事な発見をした彼を「科学技術に貢献した素晴らしいイノベーターだ」と評価しているのは、後世の私たちです。つまり、新しい発明や発見が素晴らしいイノベーションかどうかは、後世の人間が評価する結果論でしかないのです。

ですから、論理的な考え方にもとづいた、計算づくの活動からイノベーションが生まれることはほとんどないと言えるでしょう。なぜなら、複雑さのきわみであるイノベーションをあらかじめ予測することは人間の頭脳にはとうていできないからです。

「イノベーションはあらかじめ予測できない」という事実は、歴史をふりかえればいくらでもあります。ヨハネス・グーテンベルクによる活版印刷技術の発明もいい例です。彼が発明した印刷機によって、読書という新しい習慣が生まれました。それと同時に、多くの人々は自分が遠視であることに気がつきました。そこで眼鏡が発明されました。眼鏡のニーズの高まりにそってレンズを生産したり、レンズを使って実験したりする人が増え、それが顕微鏡(けんびきょう)の発明につながりました。その結果、私たちは自分の体がごく小さな細胞でできていると知ることができま

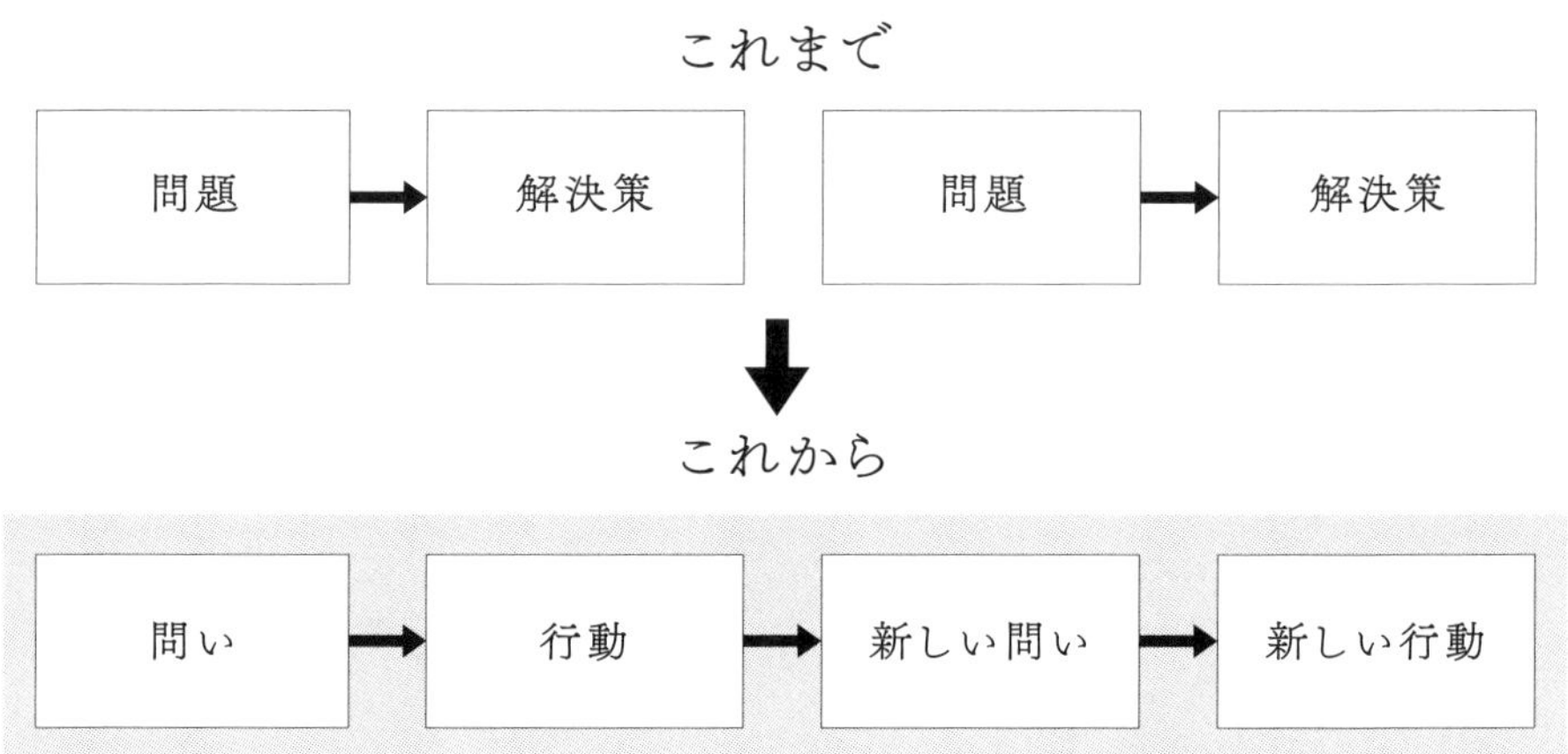

本質的な問いを続け、そこから誘発される行動をとるうちに、
結果として解決することがある

した。

つまり、グーテンベルクの印刷機が顕微鏡、そして細胞生物学を生み出したのです。活版印刷技術と、私たちの視界が細胞レベルにまで広がることとが深い関係にあるということを、いったい誰があらかじめ想像できたというのでしょうか。

「なんでだろう？」と素朴に疑問に思い、おもしろがってやってみたことが、思いもかけず新しい発明や発見を生むことがある。その新しい発明や発見は、最初はなかなか理解されないけれど、おもしろかったり便利だったりするので、少しずつ世界に広がり始める。そして、それが全体に普及することによって社会が変わる。社会が変わることによって、それまで「問題」とされていたことがなくなっていることがある。つまり、問題が解決していることがある。

それを「イノベーションだ」と私たちは後づけで評価するのです。

だからこそ、先が見通せない難問だらけのこれからの時代において大事なのは、論理的に解決策を出そうとすることではなく、「良い問いを立てる」ことだと思うのです。問題がなかなか解決しないと、人々は「自分に能力が足りないからだ」とがっかりしてしまいがちですが、難問を解けない本当の理由は、いわゆる「論理的思考」の枠組みにとらわれているからなのだということに、私たちはもっと目を向けるべきです。

おもむくままに問いを立てて自由に行動することは、学校ではすすめられないどころか、「やってはダメ」と制限されることが多かったと思います。しかし、それに不満を持った人が学校を中退したり退学になったりして、そのまま思いきり自分の好きなように探究の旅に出た結果、画期的な発見や発明をしたという例はたくさんあります。

要は、「どのような態度で世界と向きあうか?」という姿勢の問題なのだと思います。世界を変えていくことによって後の世代に少しでも良い形でバトンをわたしていきたい。その想いから僕は自分なりの探究を続けています。「自分ごと」になった学問はすごく楽しいし、ワクワクするし、とても自由なものだと知りました。

学校に行く行かないはまったく関係ありません。学びの根底に流れる自由な精神こそ、人間を自由にする技、すなわち「リベラル・アーツ(liberal arts)」なのだろうと僕は思います。

「答えようとするな。むしろ問え」

これを僕は伝えていきたいと思っています。

答えようとするな。むしろ問え。

本質的に問い続け、
その問いを深める行動をとるうちに、
結果として、問題が解決していることがある。

そのような状況を、私たちはイノベーションと呼ぶ。

イノベーションをもたらすことによって
世界を良くし、未来の世代にバトンをわたす。

そのために私たちは学ぶのだ。

つくるとわかる

相手に伝えたいことがあるのだけれど、言葉ではなかなかうまく伝えられない。そういうもどかしい想いになることはよくあります。理由のひとつとして、前提となる経験や知識がちがうため、その言葉の意味することが相手に理解してもらえないことがあげられます。

こうした断絶を超えて、わかりあうためにはどうすればいいのか。そのヒントを求めて、いろいろな本を読みあさっているうちに、エストニア生まれの生物学者で哲学者のヤーコプ・フォン・ユクスキュル博士の『動物の環境と内的世界』（１９０９）という本に出合いました。

生物の感覚についての研究をまとめたこの本で、彼は「あらゆる生き物は、それぞれの感じ方で世界をとらえ、その生き物ならではの世界を生きている」ということを明らかにしました。まさに彼のその主張のところまで読み進めた時でした。またもやあの光が僕を包んだのです。

◆

そこは、草木がうっそうと茂った森でした。しばらくあたりをさまよっていると、汗がひっきりなしにしたたります。だんだんと日が暮れ始め、不安を覚えながらも進んでいるうちに、巨大なトウヒの大木がズラリと並ぶ森にたどり着きました。

僕はキョロキョロとあたりを見回しましたが、人の気配はまったく感じられません。しかし、何者かがうごめく気配を感じました。目を凝らしてよく見ると、そこには僕より何倍も大きなリスらしき生き物が、これまた僕よりはるかに大きな木の実をかじっています。うわあ！　大木が並ぶ森に来たんじゃない！　僕が小さくなってるんだ！

パニックになっていたその時です。いきなり張りのある声が森に響きわたりました。

「見たまえ！　マダニがリスに向かって飛び降りるぞ！」

すると、木の上から黒いかたまりがリスに向かってすうっと落ちていくのが見えました。

「見たかね？　マダニは目と耳がないかわりに、酪酸（らくさん）の匂いを感じる力は抜群なのだよ！」

よかった、誰か人に出会えてホッとした。もしや、その声は……ユクスキュルさん⁉　すると、木の影から白髪まじりのひげをたくわえた初老の男性がゆっくりと姿を現しました。左手にはドイツの初老の紳士らしく、しゃれたステッキを持っています。

「生き物の皮膚腺（ひふせん）から出る酪酸の匂いは、マダニにとって青信号の役割を果たすのだよ。マダニは、自らの体温センサーをつかって生き物の皮膚にたどりつき、触覚センサーで毛のない場

所を探しあて、頭から食い込んで血液を自分の体内に送りこむことで生きているのだ」

彼は興奮気味に、血を吸っているマダニの解説を続けます。

「マダニは木にすんでいることを知らないし、時間の流れもない。マダニにとって世界とは、酪酸の匂いと体温、皮膚や体毛の感触だけなのだよ。わかるかね？」

彼はひげをさわりながら話を続けました。

「紫外線が見えるミツバチにはミツバチの、超音波で空間を把握するコウモリにはコウモリの、嗅覚(しゅうかく)が優れたイヌにはイヌの知覚する世界がある。生物それぞれの感覚を通してとらえている世界のことを、私は『環世界(かんせかい)（umwelt）』と名づけた。つまり、それぞれの生物が、それぞれの環世界を持っているということだよ」

……そう言われてみれば、僕たちの認識する世界とマダニの認識する世界は、たしかにちがう。軽くうなずいた僕に、彼は確信がこもった声でこう言いました。

「どんなものであれ、自分にとって『意味あるもの』として知覚されない限り、その生物の環世界には存在していないのと同じだ。だから、私たちが『客観的な世界』だと信じている世界は、実は世界全体から『主観的に』ある一部分を型抜きしたものにすぎないのだよ。わかるかね？」

私たちは木や花、あるいは気温や天候などが環境だととらえています。しかしユクスキュルさんは、環境とは、生物が「自分を中心として、自分に意味を与えるもの」だと言います。

人間ならではの特徴のひとつに、「情報を得て、新たな情報を生み出す」というものがあります。人間は、それぞれをとりまく言語や文化などの「情報環境」を持っていて、それらを通

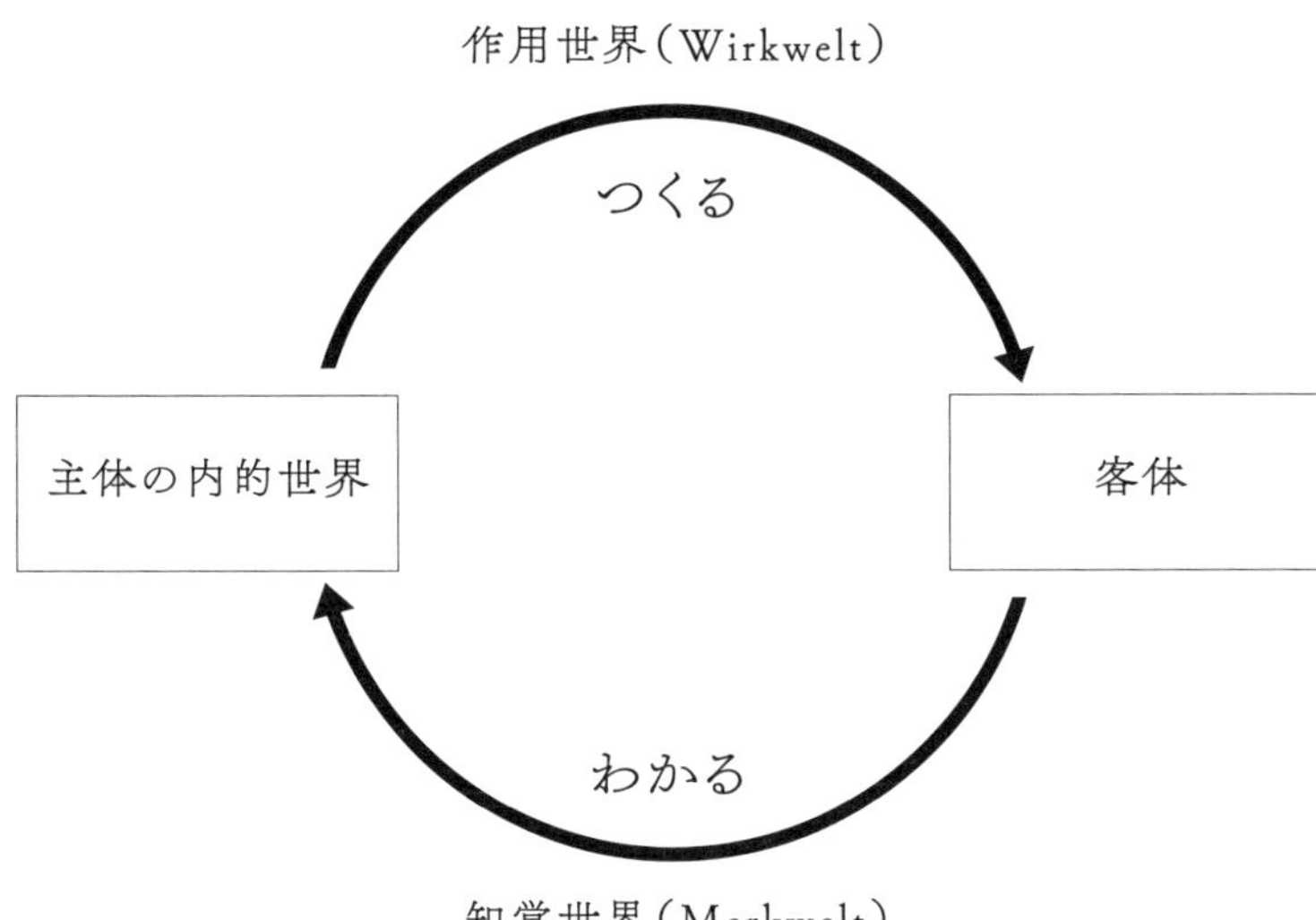

じて世界をそれぞれの視点で見ていると言えます。

冒頭の「相手とうまく理解し合えない」というのは、私たちがそれぞれの「情報環世界」に生きているということを認識できていないからだと言うこともできるでしょう。

そんなことを考えていた時、彼は待ちわびたかのように話し始めました。

「もうひとつポイントがあるのだ。この図を見たまえ」

彼が指差した先に四角と丸が描かれた図があらわれました。

「感覚器によって知覚される世界（知覚世界）と、身体をつかって世界に働きかける世界（作用世界）とが連動することで環世界をつくり出すのだよ。わかるかね？」

これはつまり、「世界がどう見えるか」というインプットだけでなく、「世界にどう働きかけるか」というアウトプットがセットになって初めて環世界が生まれるということか。マダニであれば、酪酸の匂いを感じることは、木から落ちるという行動と連動しているし、ミツバチや蝶は紫外線で見分けた花をめがけて飛んでいき、蜜を吸う行動と連動しているもんな……。

「この連動を、私は『機能環（Funktionskreise）』と名づけたのだ」

ふと気がつくと、ユクスキュルさんはいなくなっていました。

◆

私たち人間は、「こんなものがあればいいのになあ」と考えたものを、「つくる」ことによって形にできます。そうして「内的な知覚世界」と「外的な作用世界」とのギャップをうめて両者を一致させることができた時に初めて、そこに新たな「環世界」が生まれます。

その環世界が新たに生まれた状態のことを「わかる」というのではないかと僕は思うのです。つまり、「つくる」ことが「わかる」につながる、ということです。

人に伝えたいことがあるのだけれど、言葉ではうまく伝えられない。だから、その人にわかってもらおうと思ってなにか形のあるものをつくる。しかし、つくることによっていちばんわかるのは実は自分であり、そうして以前よりうまく相手に伝えられるようになる。また、つくってみると、たくさんの「わからない」が生まれる。わからないから、わかるためにつくる。このように、「つくる」と「わかる」は輪っかのようにつながっているのです。

今までわからなかったことがわかる。わかっていると思っていたことがわからなくなる。それらをおもしろがり、自分が得た新しい世界の見方や意味を、他の誰かもおもしろいと感じてくれるんじゃないかと期待すること。そして、自分も新しい見方を誰かに伝えることができるんじゃないかと希望を持つこと。

そこにこそ、それぞれの人の環世界が交わるきっかけが生まれるのではないかと思うのです。つまり、それぞれの情報環世界に分断されている私たちを結びつけてくれるものは、「つくる」という行為と「わかる」という状態のループ、つまり機能環にあるのではないか、と。

小さな「問い」に始まり、「つくる」ことを通じて「わかる」ようになる。同時に「わからない」こともたくさん生まれ、そこからさらなる「問い」が生まれる。それらを繰り返していくうちに、なにか「形になったもの」が生まれる。

それがなにかを解決していたら「イノベーション」と呼ばれ、人類のまったく新しい知を開くものであれば「発明」と呼ばれ、人の心を動かすものであれば「芸術」と呼ばれる。これらはすべて創造の豊かなバラエティだと言えるでしょう。そして、すべての創造は「アプリシエーション」によって支えられ、さらに素晴らしいものへと高められていきます。

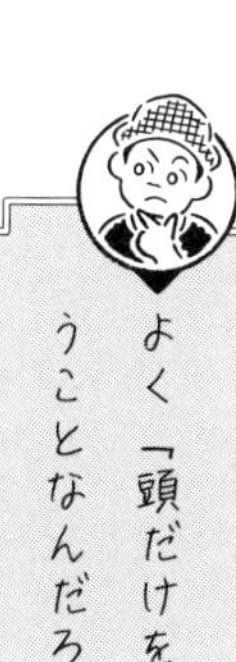

よく「頭だけを使って考えるな。身体を使って考えろ」と言われるけど、それはこういうことなんだろうなあ。

つくると、わかる。これが社会をつなげる大切な源だと僕は理解しています。

私たちは、検索サイトやSNSのアルゴリズムによって
自分が見たい情報しか見えない「フィルターバブル」と呼ばれる
閉じた世界の中で過ごしている。

ユクスキュルさんの言う「環世界」は、このような
時代が来ることを100年以上も前に予見していた。

環世界が違う人たちは、まったく違った意見を持っている。

そんな、人々が分断された世界でお互いに通じ合うには、
「つくる」と「わかる」という「機能環」を回すことで学びを深め、
ともにつくることを通じてつながっていくしかないだろう。

ユクスキュルさんは、創造性とはなにか、創造することが
いかに大切かを、他の人とはちがった切り口から
教えてくれた偉大な冒険者だった。

専門家と素人

世間では「評価」や「査定」という言葉がさかんにつかわれています。

メリトクラシーが社会に浸透していく中で、人々は「お金や時間など予算には限りあるので、誰にどれだけ配るかは、実績の査定や実力の評価によって決めよう」と考えるようになりました。これは一見合理的に見えますが、この考え方こそが社会を貧しくしたと僕は考えています。

なぜなら、査定をするためには、ひとつの「ものさし」で活動を数値化しないといけないからです。みんなに同じ「ものさし」をあてがうためには、みんなが同じようなことをしていなければなりません。あんまり突飛なことをされると困ってしまいます。つまり、「評価」や「査定」は「人とちがうことをするな」という「同調圧力（peer pressure）」を強めてしまうのです。

同調圧力が強い社会はすごく生きづらい社会です。人とちがうことを言ったりしたりすると白い目で見られ、非難されると自ら思ってしまうため、人々は口をつぐんでしまい、他人と同じ行動をとってなるだけ目立たないようにします。つまり、自由にのびのび生きることができなくなって、しまいにはヒステリックな社会になってしまうのです。

たとえば、学校では先生から高い評価を得られるように、生徒は先生の言われたとおりに行動することを求められます。それができない生徒は、「みんなと同じように勉強しないと評価が高くならないよ？　そうしないと良い進路の選択肢がなくなるよ？」と三者面談で保護者とともに脅されます。本来、一人ひとりみんなちがって多様であるはずの人間が、脅されて同じ行動をとらされ、なにも言わないほうが「評価」されるのです。そういう世界なら、なるだけ目立たないようにしていたほうがいいと考えるのは当然です。

そういう状況を打開するには、これまでにお話ししてきたように、他人の評価など気にしてはいけないのです。ほめられようが、けなされようが、スルーすればいい。ほめられて喜ぶのも、けなされて落ち込むのも、どちらも意味はありません。同調圧力は、自分が気にすればするほど、知らずしらずにまわりにその圧力を与える性質を持っています。ですから、他人の評価などまったく気にせず、むしろ無視しなければならないのです。

一方で、たとえばパンデミック（感染症の大流行）など、誰もが関心のあることはみんな評論家のようになにかを語らずにはいられません。それぞれ直接被害を受けているわけですし、全体に大きな影響を与えることなので、それは当然です。

ところが、感染症に関することを「素人」である私たちが語ると、「素人のくせに専門領域についてテキトーなことを言うな」と非難したり、「素人がいくら考えてもムダだ。専門家の

言うことにしたがうべきだ」とたしなめる人がいます。

しかし、そんなことを言う「専門家」は本当の意味の専門家ではないし、専門家でなくともそう考える人はすべて、専門家の存在意義や本当の価値を理解していないと僕は思います。

専門家が社会に存在する意義、それは、その分野の発展に貢献するだけではなく、素人である一般の人々とはちがったものの見方、ちがった意見を出してくれることです。

専門家は、一般大衆の直感や感情に引きずられることなく、彼らならではの推論や結論を自信をもって出すことができます。なぜなら、彼らは歴代の専門家が積み重ねてきた知見をもとに自分の見解を述べ、もしそれがまちがっていたら、他の専門家から公式に批判されることが職業として保証されているからです。

その点、「素人は口を出すな」と批判する人は、「一般の人々とはちがったものの見方、ちがった意見を出す」という専門家の価値を否定しています。なぜなら、様々な意見を集めるからこそ「ちがったものの見方」が出るのであり、それを拒絶することは専門家の存在意義を失わせてしまうことになると気がついていないからです。そういう人々は専門家でもないし、専門家をリスペクトしている人でもないと僕は思うのです。

また、たくさん知識を持っていることをひけらかし、それをもとに「これはこうである」と断定的にものを言う「専門家」もいますが、これも僕は優れた専門家とは言えないと思います。

どんなテーマであっても広大な知識の世界が広がっており、それを学ぶことに終わりはありません。専門家はそのことをよく知っており、なにかを主張するためにはいろいろな前提が必要なことがわかっているので、断定的にものを語ることをしません。それに対し、「エセ専門家」は「なにかを語るのにこれ以上は必要ない」とその知の体系を過小評価し、「自分はもうだいたいのことは知っている」と自分を過大評価してしまいます。それで、自分の知っていることだけで断定的なことを言うのです。

このように、実はあまりよくわかってない人ほど「自分は優れている」と自分を過大評価し、逆に、よくわかっている人ほど「自分はなにもわかっていない」と過小評価する傾向があることを、それを発見した二人の心理学者の名前をとって「ダニング＝クルーガー効果（Dunning–Kruger effect）」といいます。

本当の専門家は意見をなかなか断定的に語らないため、私たちからすると「で、結論としてどうすればいいの⁉」ともどかしくなってしまうかもしれません。しかし、彼らに耳をかたむけるべきなのは、実は結論ではありません。そうではなくて、「今なにがわかっていて、なにがわからないか（わかっていないか）」なのです。それがわかれば、「私たちが自分で考えるべきことがなんなのか」がハッキリするからです。

「人類全体としてここから先はまだわかってないよ」「ここから先はどうしたらいいか誰もわからないよ」というフロンティアでは、専門家であれ素人であれ誰もが同じスタートラインにいますし、「どうするべきか」という価値判断は、専門を超えてあらゆる観点から総合的に考える必要があり、それは専門家だけではなく、みんなで考えるべきことなのです。

ですから、「今なにがわかっていて、なにがわかっていないか」を知ることはとても大事なことなのです。そして優れた専門家の素晴らしいところは、まさにそれをきちんと答えられるところにあります。

つまり、私たちが専門家にたずねるべきことは、「知のフロンティアがどこにあるか」ということと、「常識とはちがう見方はなにか」なのです。専門家に聞いてそれを知ることができれば、なにを考えるべきかをしぼりこむことができて新しいアイデアが生まれるかもしれませんし、自分たちだけでは思いもよらなかった新しい選択肢をとることができるかもしれません。これこそが専門家と私たちの良い関係だと僕は思うのです。

にもかかわらず、私たちは自分ではなにも考えず、専門家にただ意見を求め、彼らの意見をうのみにしがちです。なぜなら、「専門家として見識が高いと評価されているのだから、その意見は正しいにちがいない」と必要以上に彼らの意見を高く評価してありがたがってしまう心の傾向があるからです。それを後光という意味の「halo」からとって「ハロー効果（halo effect）」といいます。社会的な動物である私たち人間は、権威に弱いという側面があるのです。

ややこしいのは、そこにさらにメリトクラシーがからんでくることです。メリトクラシーは「実績を出している人、能力が高い人がエライ」という社会なので、成功した経験や事例ばかりに注目が集まり、成功していない人の声や事例には目もくれない傾向があります。成功者の意見ばかりとりあげるメディアなどはまさにそうです。これを「生存者バイアス（survivorship bias）」といいますが、これがあるから「素人は黙ってろ」みたいな同調圧力がかかって、みんな言いたいことが言えない社会になってしまうのです。

メリトクラシーの社会だからこれらのバイアスが生まれたのか、それともこういうバイアスが人間にはそもそもあるからメリトクラシーがフィットしているのか……。どっちなんだろう。きっとどっちも相互にからみあってこうなってるんだろうなあ……。

ではどうすればいいのか。僕は、そもそも「専門家」とか「素人」とかいう区別をしなければいいと思います。これまで大人と子どもとか、学びと遊びとか、いろいろ分けたのがいけなかったとお話ししてきましたが、そもそもそうやって分けて考えるからいけないのだと思うのです。少なくとも、専門家だけが発言できるより、素人が本気でおもしろがって次々にいろんなアイデアを出せる世の中のほうが絶対に楽しいし、学術的にも社会的インパクトとしてもよい成果がでるんじゃないかと思います。

「素人」だからこそ思いつけるアイデアって絶対にあって、その中に専門家もうなるようなものがきっとあるはず。そもそもイノベーションとは「ものさし」がまだ存在しないようなところにこそ生まれるもの。専門家であれ素人であれ、出てきたおもしろいアイデアはどれも分けへだてなく検討したらいい。だとするならば、専門家とか素人とかわざわざ分ける必要はないと思うのです。

みんなが同じように考え、同じ行動をするから、世の中に多様性がなくなり、同調圧力が強まっていく。同じ場所に集まるから、感染症もどんどん広がっていく。先の例のように、学校はもちろん、会社や役所なども、生徒や社員、公務員を同じ場所に集め、同じように考え、同じことをするように無意識のうちに強制しています。

それこそが同調圧力を強め、思考停止を「感染」させているということを私たちは自覚するべきだと思います。


僕たちの中にはびこっているバイアスって怖いなあ……。それにしても、バイアスっていろいろあるんだなあ。メタ認知を持つこと、つまり、自分の考えを客観視することがほんと大事。

人間が持っているたくさんのバイアス（一部）

アンカリング効果
Anchoring bias

先に与えられた情報に
その後の判断が
影響されてしまうバイアス

利用可能性ヒューリスティック
Availability heuristic

頭に思い浮かびやすい
ものや目立ちやすいものを
選択してしまう

バンドワゴン効果
Bandwagon effect

多くの人が支持している
ということがより多くの
支持を集める効果

バイアスの盲点
Blind-spot bias

自分の判断にかかっている
バイアスの影響を
見抜けないバイアス

選択支持バイアス
Choice-supportive bias

自分が選んだものを、
実際よりも良いものとして
記憶するバイアス

クラスター錯覚（さっかく）
Clustering illusion

実際は完全に偶然なのに
そこにパターンがあると
思ってしまう錯覚

確証（かくしょう）バイアス
Confirmation bias

自分に都合のいい
情報ばかりを無意識的に
集めてしまうバイアス

保守性バイアス
Conservation bias

新しい証拠が示されても
自分の見解に
固執してしまうバイアス

オーストリッチ効果
Ostrich effect

危険な状況にいても、
そこに危険はないと
見て見ぬフリをする傾向

成果バイアス
Outcome bias

目に見える結果だけで
物事の良し悪しを
判断してしまうバイアス

自信過剰
Overconfidence

自分の能力や知性は
実際よりも優れていると
評価してしまう傾向

目立ちバイアス
Salience bias

目立つ部分ばかりに
目がいって客観性に欠ける
判断をするバイアス

ステレオタイプ
Stereotyping

典型的で
固定化されたイメージで
物事を見てしまう傾向

生存者バイアス
Survivorship bias

成功した経験や
事例ばかりに目がいき、
失敗事例を見ないバイアス

ゼロリスクバイアス
Zero-risk bias

小さなリスクを
ゼロにすることに注目し、
大きい危険を見ない傾向

多くの学校、特に大学は「役に立つ人材」を育てよう、
スペシャリストを育てようという傾向がある。
しかし、そうなると自分の専門以外のことは
あまり知らないという人たちが生み出されてしまう。

現代社会の問題は様々な要因がからまり合っている。
専門教育だけを受けてきた人が「役に立つ」とは限らない。
むしろ、幅広い知見を持っている人が必要とされている。

だからこそ、「素人」の斬新な発想こそ
大事にされる社会を私たちは築くべきではないだろうか。

つまり、専門家に任せてほとんどの人が考えない社会より、
誰もが自由に発想する社会が大事だと思うのだ。

Q

どうして好きなことだけして生きていけないのか？

これまで様々な問いを探究してきて、私たちがあたりまえだと思っていることが全然あたりまえではなく、真理だと思っていることが、ただの信仰にすぎなかったということがわかりました。

社会の役に立つために能力を身につけてがんばることが、結局はすさんだ社会を生み出すことにもつながってしまうとわかった僕は、「そもそも『役に立つ』とか『役に立たない』というのは、どういうことだろう？」という疑問を抱くようになりました。

そこで、「自転車の車輪」という作品を通じてまさにその疑問を世界に投げかけたデュシャンや「無用之用」を説いた荘子、「他力本願」や「悪人正機」という逆説的な思想を追究した親鸞の考えにふれ、「世の中に役に立たないものなんかない。ものの見方を変えて自分が変わることができれば、意味はいつだって変わる」という考え方を手に入れることができました。

その結果、なにが役に立つかはわからないのだから、ただひたすらあらゆることを楽しむ姿勢が大事だと考えるようになりました。

つまり、私たちは、好きなことだけして生きていくべきなのです。

にもかかわらず、そうできない理由は、現代社会が能力信仰が浸透したメリトクラシーに染まっているからです。しかし、それが必ずしも最も望ましい社会とは限らないとわかった以上、これまでの常識を捨てて新しい意味を見いだしていくことこそ、「学ぶ」ということの本当の意味なのだということを知るに至りました。

また、世界の難問を解くためのいとぐちは、良い問いを立てるところにあるということも学びました。手を動かしてなにかをつくり、そこからなにかをつかみ、新たな問いを立てて考える、というサイクルを繰り返すことを通じて難題にとりくむ姿勢が大事なのです。

第 5 章

学びほぐそう

UNLEARN

じゃあ、これから
どうすればいいの？

僕は起業家として、これまで新しい価値づくりに
情熱を燃やして生きてきた。
自分は自分なりに、より良い未来に
貢献してきたという自負を持っていた。

しかし、本当にそうなのだろうかと
根本的に疑問を感じるようになった。

そのきっかけは、「アンラーニング」という
言葉を知ったことだった。
それは、これまでに学んだ常識や、
これまでにできあがった思い込みなどを捨て去り、
そのうえで新しくすべてを学びなおす姿勢をいう。

そのことを強く意識した時のことから、
この章を始めようと思う。

親の言うことは聞くな

僕は以前、いろんな高校や大学で「起業論」という講義をやっていました。

「起業というのは『成功するならやるけど、失敗するならやらない』とか、そういうものではない。世の中に新しい価値を生み出して世界を少しでも良くするためにやることだ。つまり、起業家というのは職業ではない。生き方なんだ」

そういうことを伝えたくてやっていたのですが、講義の締めの言葉として、僕は次のようなことを毎回学生たちに語っていました。

「最後に言いたいことがあるのですが、皆さんは文字どおり、自分の人生を好きに生きるべきです。本当の意味で自由に、自分の好きなこと、自分のやりたいことだけをやって生きていくべきです」

そう言うと、真剣なまなざしで聞いていた子たちは素直にうなずいてくれます。

「今ウンウンとうなずいてる人もいますが、そうはいっても、皆さんいい子ばかりだから、親の期待とかあるでしょう？　ハッキリとは言われないけど感じてるプレッシャーとかってあるんじゃないですか？　いい大学に行ってくれとか、その後は名の通ったいい大企業に入るか安定した公務員になってほしいとか。または、早く結婚して子どもを産んで幸せな家庭を築いてほしい、とか。

皆さんも、本当はそういうのじゃなく自分の道を歩みたい気持ちはあるけど、同時に親を喜ばせたい、安心させたいという気持ちもあって、それであれこれ思い悩んでいたりしませんか？」

そう問いかけると、たいてい、みんなそれまでよりももっと大きくブンブンうなずきます。

「その気持ちはすごくよくわかるよ。これまでお母さんやお父さんをはじめ、家族みんなが自分を大切に育ててくれて、これ以上ないっていうくらい恩を感じてるだろうからね。……でもね、これから僕は皆さんにひとつだけ大切なメッセージを伝えたいと思います。こう言うからには僕も一度限り、本気で真剣にみなさんに言いますよ。いいですか？」

そう言って一息おくと、みんなシーンとなってこちらをじっと見てくれます。そこで僕はスーッと大きく息を吸って、気合いを込めてこう言います。

「親の言うことは絶対に聞くな!!　マジで!!」

そう言うと、ギョッとしてドン引きする子が半分くらい現れます。

「ちょっと冗談っぽく聞こえるかもしれないし、ドン引きした人もいるかもしれないけど、これけっこうマジメに言ってるんだ。どういうことか解説すると、少なくとも自分の人生に関することは、親の言うことを聞いてはいけない、ということです」

一見解説しているようで、実は全然解説せず、あえて同じことを二度繰り返して強調するという、僕の話術の中でもかなりの高等テクニック（笑）。

「なぜか。君たちもいつか親になったらわかるけど、子どもの幸せを願わない親というのは絶対にいないからなんだ。親というのはね、究極的には子どもが自分の人生をいきいきと生きて、幸せでいてくれればそれがいちばんの幸せなんだよ。そりゃ、親だって人間だから、家業を継いでほしいとか、親としての期待や要望、エゴがあるかもしれない。でも、子どもの本当の気持ちと自分の希望がどうしても合わないとなれば、親は『あなたの人生はあなたのものだから』と最後には必ず認めてくれるはずです。

でも、君たちは自分から気をつかって親の希望に合わせようとするんじゃない？　たとえば、先生や知り合いの大人に『いったん親の言うことを聞いておいて、それでもどうしても嫌だったら、その時自分で判断すればいいじゃない』とか言われると、ますます『そうだね』と自分を納得させるでしょう？　そうじゃない？」

ここまでくると、みんな食い入るように僕の話を真剣に聞いてくれます。このようなことで悩んでいる子がすごく多いからでしょう。

「でもさっき言ったとおり、親というのは、最後には君たちの選んだ道を応援してくれるものなんだ。なのに、自分の正直な気持ちを飲み込んじゃうと、結局は自分も親も幸せにできない。『後からいくらでも修正できる』というのは、確かにそのとおり。だけど、心の底では望んでいなかった環境にどっぷり浸かっているうちに、気がついたら初心を見失ってしまった人、あきらめてしまった人を、僕はこれまでたくさん見てきた。しまいには死んだ魚のような目をして、言い訳や愚痴ばっか言って、居酒屋あたりでくだをまく人生をすごすことになる（笑）

だから、親の言うことを聞いてはいけないんだ。正確に言えば、『自分の人生は誰がなんと言おうと自分で決めるべきだ』ということ。自分の頭で考え抜いて、自分で決めていれば、どんな困難があろうとも誰かのせいにすることなく、自分で乗り越えていくことができる」

こういうことをこれまで何度も何度も、いろいろなところで学生たちに語りかけてきました。そうすると、講義が終わった後に僕のところへ駆け寄ってきて、「おかげで心が軽くなりました」とポロポロ泣きながらお礼を言う子は一人や二人ではありません。

実は、僕はこの話をする時、もちろん真剣に伝えはしますが、「なるほどねー」というくらいの気持ちで聞いてくれればいいや、としか実は思っていません。なぜなら、「親の言うことは聞くな！」と言っておいて、「俺の言葉はよく聞け！」っていうのは、ギャグにもならない矛盾だからです。

本当に伝えたいメッセージは、「自分の人生についてちゃんと自分で考えよう」というあたりまえのこと。なので、僕の言葉もまじめに聞く必要などないのです。それでも、この話をするたびに崩れ落ちるくらい泣く子がいたりするのを見るにつけ、「ああ、親の無言の束縛（そくばく）に苦しんでいる子がけっこういるんだなあ……」と実感します。

実はこの話、学生に対してだけでなく、自分自身に対して言い聞かせるために言っていたところもあります。というのも、僕も長年、親の期待に応えたい、親を喜ばせたいと思ってがんばっていたからです。

その呪いから抜け出すことができたのは、「アンラーニング」について学んだからでした。アンラーニングとは、自分が身につけてきた価値観や常識などをいったん捨て去り、あらためて根本から問い直し、そのうえで新たな学びにとりくみ、すべてを組み替えるという「学びほぐし」の態度をいいます。

この考え方を知ってから、僕は常にアンラーニングを意識するようになりました。そうするうちに自然と、すぐには答えの出ない疑問を問い続ける姿勢ができるようになってきました。

実は、これまでの話もすべてそのアンラーニングのたまものです。自分の中にある常識をいったん捨て去り、あらためて根本から問い直そうとすると、「どうしてそうなのか？」と現状を客観的に見つめるようになりますし、「なぜそうなったのか？」とルーツをたどる探究の旅に出ることもできるようになります。

まずは、素朴な疑問に目を向ける。そこから新たな問いが生まれる。その問いを深く考えるために手を動かし、その過程で気づいた思い込みや常識を疑う。そして、新たに生まれた問いについて考える。

この一連の行為を繰り返し続けることが、自分の人生を自分で考えることにつながるのです。

物事にはいろいろな見方がある。
その事実を知り、自分にはない見方を学ぶことは
とても大切だ。

そして、多様な見方ができるというのは、
「他の人の言うことをうのみにしない」
ということでもある。

どんなえらい人が言ったことでも、
必ずしも正しいとは限らない。
ある時代のある場所では正しくても、
よそでは通用しないかもしれない。

だから、誰かが言ったことを
すぐに信じるのではなく、
自分の頭で考え、自分の心で感じ、
自ら行動して、体全体をつかって判断することが
大事なのだ。

なにがしたいかわからない？

社会人になりたての人たちに、「なぜ今その仕事をしているの？」と聞くと、「人の役に立つ仕事がしたいから」というぼんやりとした答えや「マーケティングの仕事がしたいから」など、表面的な理由が返ってくることがほとんどです。

そこで、「なぜそれがしたいの？」とさらに深く質問していくと、最後にはみんな一様に「……実はなにがしたいのか、よくわからないんです」と目をふせてしまいます。

一方、小学生くらいの子どもたちと接していると、彼らはもうやりたいことだらけです。あれもやりたい、これもやりたいと、眼の前のことにどんどんのめりこんでいきます。音楽がかかると自然に踊り出すし、すぐに歌い出すし、モノをいじり、壊し、つくりまくります。もちろん大人の中にも、いつもやりたいことがあって、次になにをしようかとワクワクしている人もいますが、僕が知る限り、そういう人はあまり多くありません。これはいったいなぜなのか。

「子どものうちはやりたいことだらけなのに、社会人になるとやりたいことを見失う」という事実から考えると、私たちが受けてきた教育や社会の環境がそうさせているとしか考えられません。私たちが暮らす社会は、多くの人に自分がやりたいことや、やるべきことがわからなくなるように仕立てるシステムとして機能してしまっているのです。

「なにがしたいのかわからない」という人の多くは、決して「なにもしたいことがない」わけではありません。そうではなくて、彼らは「自分の存在価値がどこにあるのかわからない」と言っているのだと僕は感じます。つまり、「自分には人に認められるほどの価値を生み出せる能力がない」と思い込んでいるのです。なぜ、彼らはこのように感じてしまうのか。

実は、そこには私たちをとりまく「資本主義（capitalism）」の性質が関係しています。そもそも「資本（capital）」とは、会社がビジネスをして貯めたものすべてのことで、具体的にはお金や設備、原材料などを指します。そして「資本主義」とは、その「資本」を元手に労働者を雇い、彼らに支払う賃金以上の「価値」を持つ商品をつくって利益を得て、それを「資本」としてさらにビジネスを大きくしていく経済体制のことをいいます。この体制は250年ほど前に始まった産業革命によってできあがりました。

資本主義はもともと、常に資本を増やし続けようとする性質を持っています。要するに、資本主義に参加する人は皆「儲けられるなら、どんどん儲けるぞ！」と考えるのです。その結果、儲けられるならなんでも、ありとあらゆるものを「商品」に仕立て上げ、「価値」に変えようとします。この考え方にどっぷり浸かっている人は、しまいには、「お金で買えないものがある世界は不平等だ」と考え、「お金で買えないものがあると思い込んでいる人はまちがっている！」と主張するようになります。

なぜか。それは、資本主義こそが「機会の均等」につながると彼らは心の底から信じているからです。お金は誰でも努力をすれば貯めることができる。「努力の成果」であるお金でなんでも手に入るなら、それがいちばん公正で公平な社会じゃないか。むしろ、お金で買えないものがあるほうが不透明で不公平じゃないか。資本主義とはそういう世界観なのです。

そういう資本主義の影響を大いに受けた人々、たとえば先ほど例にあげたような人たちは、「労働者としての自分の存在価値を高めなければならない」と考えています。なぜなら、そうしないと社会の中で生きていけないと思い込んでいるからです。ちなみに、ここで言う「存在価値」とは、「自分自身を商品として見立てた時に、お金がきちんと払われるような価値」のことを指しています。

僕が思うに、「やりたいことは特にない」と言う人たちは「やりたいこと」の定義を「お金になるようなことの中で、自分がしたいこと」と限定してとらえているのです。

人間は本来、「商品」ではありません。子どもは自分を「商品」だと思っていないので、存在価値などひとつも考えず、やりたいことをどんどんやります。しかし、ティーン・エイジャーになってアルバイトをし始める頃くらいから、人々は資本主義に組み込まれ始め、無意識のうちに自分自身を「商品」に仕立て上げていきます。そして社会人になると、資本主義の下でガチガチに存在価値を計られるようになります。

「自分の商品価値を上げるようなことであり、なおかつ自分が本当にやりたいこと」。それこそが、この資本主義社会で初めて「やりたいこと」として認められる。そんな厳しい制約条件がつくのなら、やりたいことがなかなか見つからなくても当然です。

こんなふうに、人間でさえも「商品」に変えてしまう資本主義をなぜ人間は選んできたのか。そこには「自由」という、誰もが大事だと思っているものがあるからです。資本主義の世界では、お金さえあればなんでも好きなものを買うことができます。つまり、自分の思うままになんでも選べる「自由」が手に入るのです。だからこそ、資本主義は「世の中をどんどん自由にしてくれる偉大な力」として、これまで手放しに受け入れられてきたのです。

「自由」を神輿に担いで、世界中のありとあらゆるものを「商品化」してまわるスーパーパワー、それが資本主義なのです。

ただし、ここでいう自由には注意書きがついてきます。それは、「人々が選択の自由を求めることができるのは、価値がフェアに交換される時だけだよ」というものです。これを「等価交換」といいます。

「ギブ・アンド・テイク（give & take）」という言葉を聞いたことがあると思います。なにかを与えるかわりになにかをもらう、なにかをもらうかわりになにかを与えるという対等な関係をいいます。これは資本主義で生きる人々にとっては常識の中の常識だとされ、「なにかが欲しいなら、まずあなたのほうから相手が望むものを与えなさい」と多くの人がさとします。

しかしこの考え方は、見方を変えれば「相手が自分の望むものをくれないなら、自分も絶対にあげない」ということでもあります。つまり、なにをするにも必ず見返りを求める心理が働いてしまうのです。交換できるもの、それはすべて商品であり、商品はお金で買えるものなので、文字どおり「金の切れ目が縁の切れ目」となります。

それどころか、そもそも見返りを求めないはずの「贈りもの」でさえも、人々は「一方的にもらってばかりだと申し訳ないし、気持ちが悪い。なにかをもらったら、必ずお返しをする。それがあたりまえだ」と考えるようになりました。

つまり、私たちは、誰かになにかをしてもらった時、そこに「借りをつくった」というような「負債（ふさい）」の感覚を持つようになってしまったのです。人々は、「負債はいつか返さなければならない。しかも『利子（りし）』がつくから、なるだけ早く返さなければならない」と考えるようになりました。なぜなら、あまりにたくさんもらって、あまりにたくさんの負債を負ってしまうと、「その負債をきちんと返せる自信がない」と感じるからです。

等価交換をよしとする社会では、人は誰にも頼りません。そういうと寂しい社会のように聞こえますが、誰にも頼らない社会というのは、面倒くさいことがない社会ともいえます。むしろ、そんな世界を「しがらみのない自由な世界」ともてはやしてきました。そうして、世界中の誰とでも取引ができる究極に自由な社会、いわゆる「グローバル資本主義」をつくりあげてきたのです。

一人で生きていけることこそが、真の意味での「自立」なのだと信じ、自立していることこそがほんとうに自由な人間に必要なことなのだとうそぶく。誰にも頼れないから、ふとした時にすごく不安になることもあるけれど、その不安は「自由の代償」だと自分をごまかし、我にかえって他人に自立を求める。それが今の「大人」たちの姿です。

誰も必要としないけれども、誰からも必要とされない社会を「無縁社会」といいます。そこにはなんの「必然性」もなければ、「使命」もない。だから人々は、自分はなにがしたいのか、なんのために生きるのかがわからなくなるのです。

このように、「なにがしたいのかがわからない」という人が生まれてしまう原因はたいへん根深いところにあり、いくら問題点を指摘したところで世界はなにも変わらないでしょう。

では、どうすればいいのか。この問いについて、さらに深く考えてみたいと思います。

ギブ・アンド・テイクのような等価交換の考え方は、
一見公平なようでいて、
実はとても冷たい世界をつくり出す。

そして、その世界観が「自立」という考え方を生み出した。
しかし、それは誰にも頼れない無縁社会を
もたらすだけだった。

自立してこそ、自由が手に入る。
この考えに影響された若者たちは、
自分が本当はなにがしたいのかわからなくなってしまった。
どうすれば、この根深い構造を打開できるのか。
探究の旅を続ける中で、
大きなヒントをくれる人に出会った。

ギブ・アンド・ギブン

「誰かに依存しなくてもきちんとひとりで生きていけることを自立と呼び、自立は自由を楽しむ資格を持つ社会人の条件だと人々は考えている」と先にお話ししました。しかし、本当にそうなのでしょうか。

いいえ、それは原理的にまちがっていると思います。人は独り(ひと)では生きていけない動物です。だからこそ社会をつくり、みんなで生きてきました。本来、自立なんかできるわけはないのです。にもかかわらず、人々が自立できると思うのはなぜなのでしょうか。

ここに資本主義のトリックがあります。サラリーマンは自分自身を「商品」として会社に売り、労働の見返りとして給料をもらいます。なんでも商品化された資本主義の社会では、生きていくのに必要なものはお金で買えるので、給料さえ得られればひとりで生きていけると思うように仕向けられているのです。実際、人との関わりが薄い無縁社会では、人は「誰にも頼らず、完全に自由な独立した存在として生きていける」という幻想を簡単に持ちえます。

それに対して、脳性麻痺がありながら医師としても活躍する日本の研究者のシンイチロウ・クマガヤ（熊谷晋一郎）は、「自立するとは、頼れる人を増やすことである」と言います。

えっ!? どういうこと!? 「自立」って、誰にも頼らないで生きるってことじゃないの!?

脳性麻痺を持つ彼にとって、かつて頼れるのは親だけでした。だから、親を失えば生きていけないのでは、という不安がぬぐえなかったそうです。しかし、一人暮らしをしてみて、友だちなど頼れる人を増やしていけば、自分はどうにでも生きていけるということがわかったと言います。

「自立」とは、依存しなくなることだと思われがちです。でも、そうではありません。「依存先を増やしていくこと」こそが、自立なのです。これは障がいの有無にかかわらず、すべての人に通じる普遍的なことだと私は思います。

——シンイチロウ・クマガヤ

どんな人だって、誰にも頼らずに生きていくことなんかできない。親だけに頼っている状態から、徐々に社会の中に頼れる相手を増やしていくこと。それこそが自立だと彼は言うのです。

普段意識していなくても、私たちは実に様々なモノや環境にも頼っています。「Aがなくても生きていける」というのは、決して「なにもなくてもひとりで生きていける」ということではなく、「いざとなれば、BにもCにもDにも、頼れるものがたくさんある」ということなのです。

オーウェンさんをはじめ、いろいろな教育者が強調していますが、環境こそが人間に大きな影響を与えます。人々を「自立」の呪いから解放するには、実は子どものうちから自分の好きなことを追究できる環境に身を置き、まずは自分を満たすのがいちばんだと確信しています。

人間は「なにかをふんだんに持つと、自ら積極的に他人に分け与えたくなる」という本性(ほんしょう)を持っています。そのことは、子どもを見ているとわかります。子どもは一見、欲望にストレートでわがままなようですが、自分が満たされたなら、それ以上についてはなんでも分かちあいます。日本の研究者で教育者のケンジ・サイトウ(斉藤賢爾)は、『信用の新世紀』(2017)で、子どもたちについて次のように言っています。

> 人間である限り、まわりの人間を真似しようとする。人はそうやって育っていく。そして、まわりの人間は、自分に与えている。人間は、生まれたときには完全に無力なので、必ずそこから始まる。人は、与えることしか知らない状態から始まるのである。※
>
> ——ケンジ・サイトウ

※乳児は自分になにかを与えてくる周囲を真似して生きるため、「与えることしか知らない」のです。

生まれたばかりの時は、誰かの手を借りないと生きていけない。つまり人間は、この世に生を受けた最初から与えられ、与えることしか知らない存在なんだ。だから、人に分け与えることは人間の本性だということか！

人間はお互いになにかを贈りあい、分け与えあって生きている存在だという事実。あまりにもあたりまえすぎてまったく意識していませんでしたので、それは僕にとってとても大きな発見でした。それ以来、「贈与こそが最も人間らしく、崇高(すうこう)で美しいものである」ということを常に自覚しようと思うようになりました。

幸いなことに、僕には好きなことをとことんやれる環境がありました。だから今、後に続く人たちにもそのような環境を与えてあげるべきだと本気で思います。そうやって豊かさを次の世代に贈り続けることを止めなければ、みんな今よりずっと豊かになれると僕は信じています。

つまり、自分に与えてもらった豊かさを、別の人に与えるのです。そういう行為を「ペイ・フォワード（pay forward）」と呼びますが、僕は別にペイ・フォワードでさえなくてもいい、ただ「無償の愛」でいいと思っています。なぜなら、僕は純粋に若い子たちが喜んでくれる顔を見たいだけだからです。彼らは、僕の贈りものを受け取ってくれることによって、僕とつながりを持つことを受け入れてくれる。そのことに喜びを感じるのです。私たちは普段あまり意識していませんが、実は、贈り物はもらうよりも贈り手になることによる喜びのほうがむしろ大きいのです。そしてそれは、実は昔の社会ではまったくあたりまえのことでした。

日本の教育者で研究者のユウタ・チカウチ（近内悠太）は『世界は贈与でできている』（2020）で「贈り手にとって、受け手は救いとなる存在だ」と言っています。

この世に生まれてきた意味は、与えることによって与えられる。いや、与えることによって、こちらが与えられてしまう。

——ユウタ・チカウチ

受け手の存在こそが、自分の人生の意味や生まれてきた意味を与えてくれる。つまり、私たちはただ存在するだけで他者に贈与をすることができると言えるでしょう。

与えることで与えられる。それなら「ギブ・アンド・テイク（give and take）」なんてさもしいことを言わず、ただ「ギブ・アンド・ギブン（give and given）」の関係があればいい。そうしても、いや、そうすることによってこそ、社会はきっとうまく回るはずだと僕は信じています。

豊かさを後の世代に贈り続けることを止めなければ、みんな豊かになれる。世界を贈与で埋め尽くすことこそが、世界をうまく回すための最良の方法であり、世界をなつかしくて新しいものに変えることになると僕は信じているのです。

ですから、僕はただひたすらに豊かさを分け続けようと思います。見返りなど求めず、ただひたすらに。それこそが、本当の「豊かさ」なのだから。

自立とは、依存先を増やすこと。

この逆説的な考え方に、
僕は目からウロコが何枚も落ちたような気がした。

そして人間の本性は、ホッブズさんの言うような
利己的な存在ではなく、
お互いになにかを贈り、分け与えあって生きる
存在ととらえることができた。

贈り、贈られることでうまく経済が回るような
社会をつくれないか。

資本主義が行きすぎて、
社会がすさんだ今だからこそ、
そんな世界を真剣に構想するべきだと
僕は強く感じている。

もし、明日死ぬとして

これまでの話をふり返ってみます。

まず、ひどいあつかいを受けている子どもを保護するために行われた子どもと大人の区別は、実際には子どもの自由を制限し、社会を貧しくしてしまったとお話ししました。

次に、すべての子どもたちの能力を等しく高め、社会でうまくやっていけるようにすることを目指してつくられた学校は、能力の差をうめるどころかむしろ広げてしまう場所として機能してきたとお話しししました。

そして、メリトクラシーは「生徒中心」という自由や「機会均等」という平等をうたいながら、実際には不自由や不平等をますます大きくしてしまったことも指摘しました。

人々は「平等」の名のもとに能力の存在を信じるようになり、社会は「自由」の名のもとに人々に自己責任を強いるようになり、「能力の低い人」は「能力がないのは自分のせいだ」と思い込まされるようになってしまいました。

もちろん、これらのとりくみには良い面もたくさんあったということを否定するつもりはありません。しかしながら、明るい光には必ず強い影があり、その影の側面に目を向けると、そこには大いなる矛盾があることを私たちは忘れるべきではありません。

そのような中、未来をつくる子どもたちが育っていくうえで、あらためてなにがいちばん大事なことなのでしょうか。人はどのようなことを学びながら成長していくべきなのでしょうか。

◆

そんなことをぼんやり考えている時でした。とても長いひげをたくわえた老人がいきなり僕の前に現れました。なんと、コメニウス先生です。

「大きな時代の変化の中で、次の世代をになう子どもたちに向けて伝えなければならないものはなんじゃ？　そしてその考えは、なにに支えられておるのか？」

そう言われても、どう答えていいかわからないよ……。彼の問いの大きさに途方に暮れていた時、ふと「大きな問いは、その問いにつながる別の問いを立ててみるといい」という学びを思い出しました。そこで、僕は次のような問いを立ててみたのです。

「もし明日死ぬとして、一言だけ我が子に遺言を残すとしたら、どんな言葉を遺す？」

なぜ僕がこのような問いを立てたかというと、この問いに答えようとすれば、僕自身がなにをいちばん大切にしているかがわかると思ったからです。

教育の使命に「人類の知りえたことを後世に伝える」というものがあります。このような究極の問いを立てれば、後世に伝えるべき最も大事なことはなんなのかがわかり、その大事なことこそ「なにを学ぶべきか？」という問いに対する回答になるのではないかと思ったのです。

もし、僕が明日死ぬとしたら――。

親として、人生の先輩として、まだこの子にはなにも伝えられていない。これからこの子とたくさんの素晴らしい時を過ごし、この子の様々な成功や失敗、喜びや悲しみにつきそって、大切なことを伝えたかった。でも明日死ぬ身の自分には、それももはやかなわない。

たった一言で大事なことなんか伝えられない。どんな言葉であれ、愛する我が子への想いをすべて表してくれるはずもない。だけど、もしこの子が一生「父の遺した言葉」として、その意味について考え続けてくれるような言葉が残せたら、親としてこれほどの幸せはないだろう。

その言葉の意味はすぐにはわからないかもしれない。しかし、この子が大人になり、自分と同じように子の親となった時、「ああ、父はこのような想いで自分にこの言葉をかけてくれたのか！」と気づいてもらえたら、それがいちばんうれしいかもしれない。そんな言葉とはなんだろう。いったいどんな言葉をかけたら、「父はなぜ僕にこの言葉を遺したのだろう？」とずっと考え続けてくれるだろうか――。

僕はこの問いについて、実はもう何年も考え続けているのですが、少なくとも今のところ僕が答えにしているメッセージはこれです。

「世界は自ら変えられる」

こんなことを言うと、「ちょっとカッコつけすぎじゃない？」という声が聞こえてきそうです。しかし、ここにいたるまでにいろんな案を出し、じっくり考えてきた結果、この言葉がベストだと思っています。なぜか。

結局のところ、親が子に望むのは「幸せに生きてほしい」ということ、ただそれだけであり、親としてそれ以上望むことはなにもないはずです。つまり、この問いは「幸せとはなにか？」という問いだと思うのです。

幸せについては人の数だけいろいろな定義があるとは思いますが、すごくザックリ言うならば、「自分の人生をいきいきと生きること」と言って、大きくハズレてはいないと思います。誰であれ、自分の人生をいきいきと生きてくれれば、それは幸せな状態だといっていいと思うのです。

「自分の人生をいきいきと生きてほしい」、すなわち「自分の人生を自分の意志で生きるような、そんな子に育ってほしい」という願いは、「希望を持って未来を自ら切りひらいていける子になってほしい」と言いかえることができます。

では、そう思えるためになにが必要か。

そのためには、「未来に希望が持てること」と、「切りひらこうと思えば、実際に切りひらけること」という2つの条件が満たされなければなりません。つまり、「希望を持って未来を自分で切りひらいていく」という姿勢は、「世界は自ら変えられる」と思えなければ持ちえない

ということです。

こんなの本当にあたりまえの話です。わざわざ言うほどでもないことなのに、なぜ僕はこんなことをわざわざ書いているのか。それは、胸に手を当てて真剣に自分自身に問いかけてみた時、心の底から「世界は自ら変えられる」と思える人はそれほど多くない、と思うからです。

あたりまえのことなのに、誰もこういう実感を持てない。そんな現代社会でどうやって未来を自分で切りひらける子が育つというのか。だからこそ、僕はこの言葉を次の世代を担う子どもたちに伝えていきたいと思うのです。

……こんなふうに僕は考えまし

た、いかがでしょうか、コメニウス先生。そう僕が言葉を返すと、うつむいていた彼はゆっくりと顔を上げ、しっかりと僕を見つめ返してくれました。

そして、なにも言わずにすうっと消えていきました。

◆

明日には死んでしまうだろう。もし、そんなふうに死期を悟った時には、僕はあらん限りの力をふりしぼり、全身全霊をかけて我が子を見つめ、手をにぎり、次のように伝えようと思います。

「君が本気で心から望めば、そして本気でそれをできると信じて実行すれば、世界は自ら変えられるんだよ。必ずね」

父がなぜ、このような言葉を死の間際に遺したのか。その意味をぜひ君に考えてほしい。そして君が親になった時には、ぜひ君の子どもにも同じように伝えてほしい。そんな想いを込めて、僕はこの言葉を遺したいと思うのです。

そして、これは我が子だけに限らず、世界中のすべての子どもたちに伝えたい。

僕は心からそう思っています。

世界は自ら変えられる。

このメッセージそのものももちろん大事だが、それ以上に
本気でそう思える環境をつくりあげていくことが大事だ。

もし学校が「自分の人生を自ら切りひらく人間を育てる」
ことを使命とするならば、
学校そのものが「世界は変えられる」と本気で思える
環境でなければならないはずだ。

そこに学校の新しい意味を見いだすヒントが隠されている
ように僕は思う。

世界を変える魔法

「世界は自ら変えられる」

子どもたちにそう全身全霊（ぜんしんぜんれい）で伝えたとしても、「でもお父さんは今、世界を変えられると思えていないわけだよね？　なのになぜそう言いきれるの？」という質問が返ってきそうです。このようなストレートな問いに、私たちはどう答えることができるのでしょうか。

ここで思い出すのは、ブラジルの教育者で社会活動家のパウロ・フレイレです。彼は教育のみならず農村開発や医療などで活躍し、僕が最も影響を受けた人の一人でもあります。

彼はまず教育文化局員として、抑えつけられてきた貧しい人々のサポートと教育を担当しました。その中で、貧困の中で生きる人々に特有の内向きな性格、すなわち、自分に学がないことにコンプレックスを感じてふさぎこんでしまう傾向があることに気がつきました。

生きのびることに精いっぱいで読み書きの大事さを理解するにいたらなかった人々が、支配者によって植えつけられたのは、自分自身に対するネガティブなイメージでした。それを彼は「沈黙の文化」と名づけました。

彼はこの「沈黙の文化」をのりこえる方法を探究し、数千万人いた読み書きのできない貧しい人々に独自の教育を始めます。侵略者が国を支配していた時代に、選挙に参加するために必要不可欠な読み書きを学ぶのを助けたのです。

具体的には、まず絵と話で彼らの学びたいという気持ちを高め、彼らの生活や仕事に関係する言い回しを学んでもらいました。そこから国外への仕送りなど、彼らの関心が高い大事な言葉について議論してもらうことを通じて、その言葉が意味することやそれをとりまく問題について学んでもらいました。

たとえば、スラムに住む人々には、スラムを意味する「favela」という言葉を最初にとりあげ、彼らが不当にこき使われている状況を自覚できるようにし、それを自分たち自身の行動によって変えていけるように導きました。

フレイレに学んだ労働者はあっという間に読み書きができるようになり、社会の民主化に大いに貢献したと言われています。その成功ぶりは軍事政府により「政治的に危険な人物」とみなされ、国外追放になってしまうほどでした。

そんなフレイレは読み書き教育を進めるだけでなく、従来の知識詰めこみ型の教育方法や学習者の生活現実に関わりの少ない教育内容を『被抑圧者の教育学』(１９６８)できびしく批判しました。

そんな彼の教育思想が詰まった本を夢中になって読んでいると、またあの白い光が僕を包み始めたのです。

◆

気がつくと、そこは心地の良い木陰（こかげ）。目の前には30人ほどの人が円を描くように座っています。どうやら、円の中心で誰かが話をしているようです。その様子を後ろから見つめている二人の男性の会話が聞こえてきました。

「フレイレ先生、この文化サークルの対話は、なんだかまどろっこしくありませんか。彼らはビジネスのやり方はおろか、算数すらよくわかってないんです。他に学ぶべきことがあるんじゃないでしょうか」

そう問いかける事務官に、白いひげをあごいっぱいにたくわえたフレイレ先生が答えました。

「もちろん、そういった学びに意味がないとは言わんよ。しかし、知識を一方的に教えこもうとすればするほど、彼らは自分で考えることをやめ、ただ言われたことに従うだけの人間になってしまう。それが『沈黙の文化』を生み出してしまった。そんな教育をいくらやったところで、支配者と彼らの対立はなくなるどころか、ますますひどくなるばかりだと私は思うんだ」

フレイレ先生の答えに、事務官はいまひとつ納得がいかない様子です。

「うーん……。でも、こんなのんびりしたことをやっていても、彼らの苦しい現実はいっこう

パウロ・フレイレ
Paulo Freire
(1921-1997)

に変わらないのではありませんか?」

事務官のいらだちに理解を示しつつも、フレイレ先生は毅然(きぜん)と返します。

「その焦りはわかる。だが、お金を貯めるだけの銀行みたいに、ただ知識を貯めるだけの教育を続けたら、彼らから『批判的意識(critical consciousness)』は失われ、自ら世界を変えることができなくなっていく。現実を変えることに挑戦するかわりに、ただ現状に順応するだけの人間になってしまう。私はそれを最も恐れているんだよ」

「だから、このまどろっこしいやり方をしてるんですか?」

「言葉にはいろいろな意味がある。そして、そこにはいろいろな問いが含まれている。それを仲間と議論をしながら一つひとつ理解していく。私の意見などはいらない。彼ら自身が考えることに意味があるんだよ」

それがフレイレ先生のやり方でした。

「彼らと気持ちを通わせるかわりに、ものを詰めこみ続けるなんてことをしたら、本来の探究は失われ、一人ひとりが本来の人間になる機会を奪われてしまう。そう思わないか？」

フレイレ先生は、知識を詰めこむかわりに学びのサポート役に徹したのです。これは当時としてはたいへん画期的なことでした。そして、その基礎となったのが「対話」です。今、僕の目の前で行われているのもまさにそれでした。

「彼らは今、対話を通じて自ら学ぶということを知り、自分たちがいかに抑えつけられてきたかを自覚する道を歩んでいるんだ。この『人間化（humanization）』のプロセスをふまないと、彼らが世界を自ら変えるようになることはできないだろう」

フレイレ先生の言葉に熱がこもります。

「『なにを学ぶのか？（what）』や『どのように学ぶか？（how）』も大事だが、それよりも『なぜ学ぶのか？（why）』がいちばん大事なんだ。そしてそれは、彼らの置かれた現実に真正面から向き合うものでなければならない。自分たちが住む世界を変えていくためには、自分たちの問題意識から生まれる対話こそ、いちばん必要なものだからね」

すると、事務官はため息まじりにこう言い放ちました。

「『なぜ学ぶのか？』なんて考えさせる前に、そもそもなにも知らないんですよ、彼らは。そんな彼らがいきなり『なぜ学ぶのか？』なんて考えられるとは思えない。まずは最低限の基礎を教えてあげるべきではないでしょうか？」

その熱い口調から、事務官には事務官なりの想いがあることがうかがえます。

「君の想いはとても尊い。しかし、『なにも知らない人にものを教えて導いてあげよう』という態度は、無意識に学ぶ人を抑えつけ、無力にしてしまうんだ。それは「偽りの寛容」だと言わざるをえない。そういう態度で接すると、教える側からも人間性が失われていくだけだ」

フレイレ先生は事務官の目をじっと見て、真剣な顔で語りかけました。

「もし君が、彼らも、そして君自身も、人間らしくありたいと心から願うのならば、偽りの寛容をやめ、対話を通じてともに人間化することを目指すべきだと思うんだが、どうだろう？」

そう問われて、事務官は黙って考え込んでしまいました。

僕には、事務官が黙ってしまう気持ちもわかります。そして、フレイレ先生の「対話」を重視する姿勢には心から共感します。しかし、いくら対話を進めるべきだといっても、あまりにも立場や考え方がちがいすぎる場合、とうてい溝が埋まるようには思えません。

決定的にわかり合えない状況で、どうすれば対話を成立させることができるのだろう。

そんなことを考え込んでいると、再び白い光が僕を包み込み、気がつくと僕はデスクの前に戻っていました。

◆

僕はフレイレ先生の話を思い出しながら、日本の思想家で武道家のタツル・ウチダ（内田樹）

先生の話を思い浮かべました。彼は「立場が大きく異なる者同士が互いにわかり合うためには、それぞれが置かれている立場がそうさせる判断基準や論理である『コード』を破ることが必要だ」と言います。

そして異なるコードを持った人たちが対話を成立させるには、まず「あなたはなにが言いたいのですか？　しばらく私は黙って耳を傾けますから、私にわかるように説明してください」と相手に発言権をゆずることが大事だと言います。なぜなら、「お互いを認めるところから出発し、両者がともに認める論理にそって話を進めれば、いずれ私たちは同じ結論にたどりつくはずだ」という姿勢こそ、対話を成り立たせる大前提だからです。

しかし、現代社会ではその前提が共有されておらず、相手に自分を説得するチャンスを与える人間よりも、自分の言いたいことを大声でがなり立てて相手を黙らせる人間のほうが社会的に高い評価を得ているとも指摘しました。

そのような中で対話を成立させ、わかり合うためには、相手の知性を信頼し、自分の置かれた立場が定めるコードを破り、身を乗り出して誠実に相手の懐（ふところ）に飛び込むことが必要だと言いました。なんとも武道家らしい表現です。

人は誰しも、自分のコードを破ることが非常に難しいことを知っています。なぜなら、自分のコードを守ることこそが、自分が自分であり続けるために最も大事なことだと思っているからです。

にもかかわらず、相手の知性を信じ、自らのコードを破って相手の懐に飛び込む時、相手は「あなたは私をそこまで信じてくれるのか」と心動かされ、自分に敬意を表してくれるようになります。そうしていきづまっていたコミュニケーションは息を吹き返し、断絶の溝に橋をかけることができるようになります。

ここで初めの問いに立ち返りましょう。「世界は自ら変えられる」というのは、実は「自分の力で世界を変える」という意味ではありません。「自分が世界を変えてみせる」という態度はむしろ、フレイレ先生が言うように人々を非人間化することにしかなりません。そして、ひとりよがりの情熱は誰にも受け入れられず、結局は世界を変えることはできないと思います。

では、「世界は自ら変えられる」とはどういうことでしょうか。それは「自分自身が変わること」だと僕は考えています。対話の相手の知性を心から信じ、自らの大事にするコードを破り、相手の息づかいや体温を感じられるところまで思いきって飛び込む時、私たちはすでに以前の自分とは変わっています。そして相手も変わります。つまり、自分が変わることによってまわりの人たちが変わるのです。

対話に努めることによって、こうした変化が絶え間なく続いた時、水面に波紋が広がるように、私たちは大きな変化を目にすることができるようになるでしょう。そして、それが誰の目にも明らかになった時、人は「世界が変わった」と評価します。

フレイレ先生のいう「対話こそが自分たちの住む世界を変えていく最良の方法だ」というのは、こういうことなのだろうと僕は思うのです。

非暴力・不服従による圧制への抵抗運動をたった一人で実践し始め、最終的にインドを植民地支配から解放し、文字どおり世界を変えたマハトマ・ガンジーさんも同じことを言っています。

世界にあるすべての傾向は自分自身の中にある。自分を変えることができれば世界も変わる。自分の性根を変えた人間には世界も態度を改める。これこそが教えの極意(ごくい)だよ。こんな素晴らしいことはない。幸せはここからはじまる。

――マハトマ・ガンジー

これらをふまえてフレイレ先生の次の言葉にふれる時、私たちは、対話に込めた彼の真意を深く理解することができます。

世界と対峙することを恐れないこと、世界で起こっていることに耳を澄ますことを恐れないこと、世界で表面的に生起していることのばけの皮を剥ぐことを恐れないこと。人々と出会うことを恐れないこと。対話することを恐れないこと。対話によって双方がより成長することができること。自分が歴史を動かしていると考えたり、人間を支配できると考えたり、あるいは逆の意味で自分こそが抑圧されている人たちの解放者になれる、と考えたりしないこと。歴史のうちにあることを感じ、コミットメントをもち、人々とともに闘う。そういうことだけだと思う。

——パウロ・フレイレ

抑えつけられた人たちへの深くあたたかいまなざしとともに、教育を通じて人々の解放と人間性の回復に生涯を捧げたフレイレ先生。彼のこの言葉を胸に、僕はこれからどういう学びの場をつくっていくべきかを考え続けていこうと思います。

フレイレ先生は、読み書きのできない貧困層に、
彼らがリアルに感じることとの議論から出発して
読み書きを教え、
彼らが選挙に参加できるようにして世界を変えた。

それは、砂漠に水をまいて森をつくるような、
途方もない仕事だっただろう。
しかし、彼は理論と実践の両面からとりくみ、
大成功を収めた。

フレイレ先生は最後まで対話の力を信じていた。

対話を通じて自分が変わることで、
相手が変わり、社会が変わる。
それこそが、世界を変える魔法だということを
教えてもらった。

螺旋（らせん）に連なる小さな弧

「なんのために教育はなされるのか？」という教育の目的と、「なんのために学校は存在するのか？」という学校の存在意義について、これまでいろいろな人たちの考えを見てきました。

主にちがいに注目してきましたが、その一方で、彼らに共通していることにも大きな学びがありました。それは、あるべき教育の姿を考える際に「理想の社会はどうあるべきか？」ということについて真剣に考え抜いているところです。ルソーさんは『エミール』と『社会契約論』（1762）を同年に出版していますし、オーウェンさんも労働者の貧困からの救済のために教育改革を行いましたし、フレイレ先生も社会改造の理論と実践を同時に進めていった教育学者でした。

やはり教育と社会は両輪であり、社会を変えたければ教育も同時に変えないといけない。考えてみれば当然ですが、やっぱりそうだよなあと深く腹落ちしたことが、僕にとってとても大きな学びでした。
近代ヨーロッパが掲げる「教育の目的は、自由で平等な民主国家をつくりあげること」という理想は、共感はできても、誰も本気で信じていないフィクションでしかありません。先に指摘したとおり、「民主的な社会の担い手」をつくるために子どもを保護したことは、子どもに自由と平等をもたらすどころか、むしろ不平等を隠すことにしかなりませんでした。そして、人々は平等の名のもとに能力を絶対視し、自由の名のもとに人々に自己責任を強要するメリトクラシーの社会ができあがっただけでした。
どの時代の教育の目的も学校の存在意義も、これからの時代の教育を考える時にそのまま使うことはできそうにありません。そのことが明らかになって、僕はここで途方に暮れてしまいました。

なにか参考になるはずだと思って探究の旅を続けたのに、まさか参考にならないなんて……。新しいものをつくり出すしかないということがわかったことは確かに大きな収穫ではあるけれど、本当になにも使えないのだろうか……。

「いや、まてよ」。そこで僕はふと思いました。

そもそも彼らが主題とした「問い」はなんだったっけ。その「問い」から導き出したものは、たとえ時代にそぐわないとしても、「問い」そのものは古くなってはいないのではないか？　彼らが出発点とした「問い」までいったんさかのぼり、そこから再出発してみるのはどうだろうか？

冒険を続ける中で、行き詰まりを感じた時には根本の問いまでさかのぼるといいことがあると学んだので、今回もそのように考えてみることにしました。

そこでまず、先人(せんじん)たちが「どんな別の問いを立てて考えたのか？」に注目しました。すると、それは「人間として善く生きるとは、どういうことだろう？」と「公共の利益とは、いったいなんだろう？」という2つの根本的な問いであることがわかりました。

クローンやデザイナーベイビー、延命治療など倫理的に判断が難しい技術がどんどん生まれつつある現代は、人間の生と死があいまいになりつつある時代でもあります。そういう時代だからこそ、「人間として善く生きるとは？」という問いは、とても大事な問いだと思います。

また、現代文明や資本主義がひき起こしている環境危機の問題は、「公共の利益」の新たな意味を考えなければならないということも示唆(しさ)しています。現在の大量生産や大量消費をおし進め、利益だけを追い求める資本主義のままでは、人類は環境危機をのりこえられそうにありません。ルソーさんが示した「善き個人と良き社会人という2つを両立する真に自由な人間を育てる」という課題をクリアするだけでは、もはやこれらの問いに応えるのに十分ではないのです。私たちは「人間中心主義（anthropocentrism）」を超えて、新しい善や新しい公共の利益について、真剣に考えなければならない状況にあるのはまちがいありません。

貧困層に低利・無担保融資を行う銀行をつくり、生活に苦しむ多くの人々を支援したバングラデシュの起業家で経済学者のムハマド・ユヌスさんは以前、講演会で若者たちに次のように語りかけました。

> 今までの経済学は人間を単なる利己的な存在だとみなし、人々に利益を最大化せよとかりたてます。私たちは経済理論に合わせた形で教育を受け、訓練されています。その結果、人間が「お金をつくり出す機械」に変えられてしまった。つまり、経済理論が全世界の思考を決めてしまっているのです。
>
> あなたたちは無限の可能性を持つ、人類史上最もパワフルな世代です。テクノロジーが身近にあるため、魔法使いのように自分の創造的な力を世界の様々な問題の解決に使えるのです。あなたたちがやるべきことは、過去の思い込みにとらわれず、常に問題解決に向かうことです。
>
> ――ムハマド・ユヌス

彼が言うように、私たちが人類史上最もパワフルな世代だとするならば、そのパワーを人類最大の課題である「地球全体の環境の改善」に注ぐことによって、後に続くすべての生命に対する責任を果たすべきだと思います。

ここにきて、僕はついに、これからの時代の教育の目的をつかめたような気がしました。これまでは、人々を貧困から救済し、自由で平等な民主社会をつくりあげることを目標に教育が行われてきました。しかし、「人間としていかに善く生きるか？」「公共の利益とはなにか？」という問いにしたがって、僕は次のように教育の目的をアップデートしたいと思います。

まず、「善く生きる」とは、「人類が自然の生態系を破壊してきたことを反省し、多様な自然を愛で、守る存在として生きること」であり、「公共の利益」とは、「あらゆる種がすこやかに生きていける地球をつくり上げるために世界を変えていくこと」と定めます。そして、これこそが「幸福な人生を送る」ことの新しい定義であり、教育の目的にしたいと思うのです。

なぜか。それは、「地球全体を良くする仕事」こそ、これからの時代の「人間にしかできない最高の仕事」だと思うからです。いくら優秀な人工知能やロボットが登場したとしても、価値判断と創造性だけは人間に残されます。なにに価値があり、それがどういう意味を持つのかを判断し、そこに創造性を感じることは人間にしかできません。

ですから、経済的な成功ばかりを目指し、みすみす人工知能やロボットにとってかわられるような人間を育てるのではなく、むしろそれらをつかって「人間にしかできない仕事」を楽しむ人間、そういう仕事を新しくつくり出す人間をこそ、みんなで育み合うべきだと思うのです。「地球全体を良くしていく」という仕事は、決して一人や二人の英雄によってできることではありません。だからこそ、こういった仕事にたずさわる人間を一人でも多く増やしていくことは、21世紀を生きる私たちの義務であり、責任であると思います。

このような人間のあり方は、現代を生きる私たちのみならず、私たちの後に連なる未来の世代からも切に求められるはずです。なぜなら、地球全体を良くしていくには何世代にもわたるとりくみが必要であり、「あの時代にこういう手を打っていてくれたからこそ、今を生きる私たちはさらなるとりくみを積み重ねることができるのだ」と思ってもらえることにとりくむのは、非常に意味のあることだからです。

そういう未来からの視点で物事を考える姿勢をこそ、私たちは学ぶべきだと思います。

人間はどうしても目先のことしか見なくなりがちです。自分の生涯を通じてなにかをなしとげようなどとはほとんど考えません。それどころか、わずか数年後のことでさえもなかなか考えようとしません。それでも、何世代にもわたってなにかをつくりあげたり、なしとげたりすることはできるのでしょうか。

僕は必ずできると思います。できると信じています。

イギリスの詩人ロバート・ブラウニングの『アブト・ヴォーグラー』（1864）という詩に、こんな一節があります。

地上では欠けた弧(こ)天上では全(まった)き円
On the earth the broken arcs; in the heaven, a perfect round.

——ロバート・ブラウニング

日本の医学者で終末期医療に生涯を捧げたシゲアキ・ヒノハラ（日野原重明）先生は、牧師である父からこの詩を教えられたと言います。そして、いつも次のように自分に言い聞かせていると教えてくれました。

> 大きなビジョンを描きなさい。たとえ自分が生きている間に実現できなくとも、円の一部にしかなれなくても、後に続く者たちがいつかその円を完成してくれる。
>
> ――シゲアキ・ヒノハラ

私たちは大きな円のごく一部の小さな欠けた弧にすぎません。しかし、「欠けた弧」だからこそ、多くの小さな弧が集まって、みんなで大きな円を描こうとできるのです。大きな円の、最初の欠けた弧となること。もしくは、たとえ自分が最初の弧になれなくても、誰かが描いた大きな円に連なる弧となること。

それこそが教育であり、探究なのではないかと思うのです。

人間として善く生きるとはどういうことか？
そして、人々にとって公共の利益とはなにか？

この2つの問いこそが、
「教育はなんのためにあるのか？」や
「学校の存在する意義はどこにあるのか？」
を考える上で
大事な問いであることに気がついた。

そして、すこやかな地球を守るために
世界を変えていくことこそ、
人間にしかできない仕事だと気づいた。

その志を持つ個人に対してあらゆる支援をすることが
教育の目的であり、
みんなの力を合わせるために、コミュニティづくりの
起点となることが
学校の存在意義であると確信した。

ライフロング・アンラーニング

「地球全体を良くしていく」という、人間にしかできない最高峰の仕事を、現代と未来の視点から考えること。それこそが人間として善く生きる姿勢だとお話ししました。しかし、もうひとつ別の方向から見るべき視点があると僕は考えています。それは、過去からの視点です。

具体的には、昔は素晴らしいと褒めたたえられていたけれど、時代が変わるにつれて悪い評価をされたり、すたれてしまったりしたものに命を吹き込むことです。たとえば、ある技術に新しい意味をつけ加えることによって「かつてつくられたあの技術は、より素晴らしいこの技術を生み出すために必要だった」と再評価されるようにしむけていくのです。

たとえば、プラスティック製品は「コストが安くて加工がしやすく、耐久性に優れる」という理由から、つかい捨ての医療器具などに使われています。しかし、プラスティックは深刻な海洋汚染の原因となっていて、なにも考えずに利用することはもはや許されません。その意味では、プラスティックの評判はどんどん下がりつつあります。

一方、「グリーン・プラスティック」と呼ばれる新しい素材が注目を集めています。正式には「バイオマス生分解性プラスティック（biomass-based biodegradable plastic）」といって、微生物によって完全に分解・消費される植物由来の新素材です。プラスティックの良さを持ちながら環境負荷のない素材として、社会をガラリと変える可能性が期待されています。この素材が普及すれば、「石油由来のプラスティック技術も、グリーン・プラスティックをつくり出すための大事な経過だった」と再評価されるようになるでしょう。さらに、もし「環境を悪くしないどころか、むしろ良くするプラスティック」を発明することができれば、その評価はガラリと変わるに違いありません。

新技術によって先人たちのとりくみに良い影響を与えること。新しい価値づくりに励んだ

すべての人々を誰も悪者にせず、すべての技術の多様性を愛でること。そういう姿勢が「地球全体を良くしていく」という仕事には必要じゃないかと僕は思うのです。

その際には、常識を捨て去り、根本から問い直し、その上で新たな学びにとりくむ「アンラーニング」が、通常のラーニング以上に大事な学びの態度となるはずです。ラーニングとアンラーニングを繰り返しながら進める。この姿勢こそが「探究する（explore）」という言葉の本当の意味だと思います。

では、そういった中で、学びの場はどのようにあるべきか。

結論から言うと、「世界を良くするために集まった探究者のコミュニティ」であるべきだと僕は思います。それは志を同じくする人々によって構成された、助け合いながら自分たちだけで運営していけるコミュニティであり、「アンラーンするために集まるコミュニティ」と再定義したいと思います。

これまでの教育機関は「学ぶために通うところ」でしたが、僕はそれを真逆の意味に変えたいのです。正直なところ、ラーニングは一人でもどこででもできます。しかし、アンラーニングは自分だけではなかなかうまくいきません。アンラーンしようとしている人と交わる中で、対話を通じて初めてできるものです。ですから、わざわざ集まる意味はアンラーニングのため以外にないと思うのです。

また、子どもたちはアンラーニングをする必要のない状態にあります。むしろアンラーニングをしないといけないのは、ラーニングばかり積み重ねてきた大人のほうです。一方、子どもたちは様々な観点から社会に行動を制限されていますが、そこは大人がサポートしてあげることができます。つまり、お互いにうまく助け合えると思うのです。だからこそ、大人と子どもはなるだけ一緒にいて、互いにラーニングとアンラーニングを繰り返せるようにしなければならないと思うのです。それが、初等教育の場を「年齢を問わず、新しく探究や学問をしたい初心者が集う場」と再発明する意味です。

いつの日か、「昔の学校は同じ年齢の子たちだけ一部屋に集めて授業とかしてたんだよ」「えー？　なんで⁉」と人々が驚く時代が必ず来ると確信しています。なぜなら、「アンラーニングをうながすには探究する環境が多様であることが大事であり、同じような人たちの集まりはアンラーニングには不向きだ」という考え方があたりまえになるはずだからです。

一般的に、人は歳を重ね経験をつめばつむほど、アンラーニングをすることが難しくなっていきます。ですから、生涯探究し続けるための技としてアンラーニングを体得することはとても重要だと思います。にもかかわらず、アンラーニングは現在あまり重視されていません。アンラーニングとラーニングとは表と裏の関係なのですから、これからの学校は「ライフロング・ラーニング」の場というよりも、「ライフロング・アンラーニング」の場だと強調するくらいでちょうどいいのではないかと思います。

それに関連して思い出すのは、小さい頃の父との記憶です。父は第二次世界大戦後の混沌(こんとん)とした時代になにもないところから事業を起こし、自分で道を切りひらいていった人でした。僕はそんな家庭の４人兄弟の末っ子として生まれました。だいぶ歳を重ねてからの子どもだったので、父も母もたいへんかわいがってくれました。ただし、家業のため両親ともに働きづめでしたので、小さい時から仕事場ですごすことが多かったことをおぼえています。

当時、父は事業をさかんに行っており、新しい店をひらく機会を常に探っていたので、これぞという場所を見つけると僕を現地によく連れていってくれました。父は現場で大きな地図を広げ、「泰蔵。ここはこういう立地で、こういう客がいて、市場としてこれくらいの規模が見込めるのだけれど、お前はどう思う?」と僕に意見を求めてくるのです。父の真剣なまなざしから、それが本気であることはじゅうぶんわかりました。「ここで僕がいいかげんなことを言って父がそれをうのみにしたら、うちはたいへんなことになる」と身を引きしめ、自分なりに真剣に質問をし、率直な意見を言いました。

「こげんすればよかっちゃない?」という僕のたわいもないアイデアを、父は「そげんこつ、思いもよらんかった! それは良かアイデアやなあ!」といちいち驚き、発想が斬新だと喜んでくれました。父が驚いてくれるのがすごくうれしくて、調子に乗ってどんどんアイデアを言いまくりました。そして、父はその中で最も突拍子もないアイデアを、そのクレイジーさがそこなわれないようにしながら、そのまま実現していったのです。

父は人が反対すればするほどそれを押し通してしまうような、なにくそという気持ちの強いユニークな起業家でした。ですから、失敗を恐れず、僕のとんでもないアイデアをいくつも実現してしまったのですが、それは僕にとって「世界は本当に変えられるんだ!」と実感できる、ものすごく大きな体験でした。

今思えば、彼が僕を現場にしょっちゅう連れて行ってくれたのは、もちろん我が子となるだけ一緒にすごしたいという気持ちもあったと思いますし、息子を仕事場に連れていくのは良い教育になるだろうという親心もあったと思います。しかし同時に、僕の存在が自分のアンラーニングに有効だという実感があったのだろうと思うのです。

父は僕をいっさい子どもあつかいしないのはもちろん、師匠と弟子のような上下関係も一切ありませんでした。そこにはただ、対等なパートナーとしての信頼関係があるだけでした。「どちらからであれ、とにかく素晴らしいアイデアさえ出れば、それで我々は勝ちだ！」ということをお互いよくわかっていたので、ただ良いアイデアが出たことを喜び、アプリシエイトし、尊敬し合う最高の関係しかありませんでした。

このような関係性で新しい探究のコミュニティをつくっていきたい。僕は今、心からそう思います。そして、それは必ずつくれるという自信があります。なぜなら、自分が子どもの時に実際に経験しているからです。同時に、それを実感させてくれた父に、今心から感謝していきます。そして、僕はこのことそのものを、これからなるだけたくさんの子どもたちに伝えていきたいと思います。

それは必ず伝わるはず。なぜなら、僕が父から受け継いだ気持ちは、きっと他の子どもたちにもわかってもらえると思うからです。

これまでに学んだ価値観や行動様式、
思い込みなどを捨て去り、
そのうえで新たなものを再学習する姿勢、アンラーニング。

これを生涯続け、世界に新しい意味を見いだし、
成長し続けること。
それこそが人間らしい生き方だと考えている。

そういうライフロング・アンラーナーが集い、
ともに楽しみながら探究を続けるコミュニティをつくり、
アンラーニングに望ましい環境を整えていくこと。

それこそが新しい学校だと僕は確信した。

何事においても初心者であり続けられる
ライフロング・アンラーナーは、
いつもワクワクしていられる最高の学習者だ。

後世への最大遺物

最後に、この章の冒険を振り返ってみようと思います。自分の中にずっと抱いていたもの、それは「なんのために教育はなされるのか？」、そして「なんのために学校は存在するのか？」という問いでした。そして、それは「善く生きるとは？」と「公共の利益とは？」という2つの問いが根本であることがわかりました。

そこから先人たちが導き出した教育の目的は「子どもたちが自由に生きる力を身につけるため」と「民主的な市民社会の一員として育てるため」の2つでした。前者は子どもに注目したもの、後者は社会の観点から見たものですが、この2つを究極の目的として教育が行われてきたのです。しかし、「生きる力」とは結局「資本主義のうえでうまく立ちふるまうことのできる能力」でしかなく、しかも、その「能力」はフィクションでしかありません。つまり、なんら実態のないものを目的に教育が行われてきた結果、様々な不幸が生まれるようになってしまったのです。

そのような能力は「メリトクラシーの最終兵器」である人工知能にとってかわられてしまうため、このままではどんづまりです。だからこそ、これまで良しとされてきた教育の目的を「アンラーン」する必要があります。具体的には「人工知能のおかげで、もう『生きる力』などと声高に言う必要がなくなった」とポジティブにとらえ、教育に「意味のイノベーション」をもたらすのです。

そこであらためて気づいたのは、「『生きる力』なんか身につけなくったって、ちゃんとみんな生きてるじゃん」というあたりまえの事実でした。百歩ゆずって、そういう「生きる力」が必要な世の中だと認めたとしても、子どもたちをそんな社会に適応できるようにするのが教育なのではなく、子どもたちがそんな社会を変えることができるようにすることこそが教育の使命だと思うのです。

そしてそれは子どもたちに限らず、すべての人々にとって必要なことです。ですから、私たちは生涯にわたって「ラーニング」と同時に、「アンラーニング」を繰り返しながら探究を続けるべきだと思います。その目的は、人類が自然の多様性を守る存在として、この星を少しでも良くして未来の世代にひきわたすこと。それが「善く生きる」ということの新しい意味であり、結果として「公共の利益」につながると思うのです。

そして、年齢を問わず、みんなで探究するコミュニティをつくり上げること。それがこれからの学校のあり方だというビジョンを描きました。それは「社会の一員として必要な資質を身につける場」という学校の古い意味を「自分が変わり続けるために行く場」という新しい意味へと変えることを意味します。つまり、「社会が自分を変えるための場」であった学校を「自分が社会を変えるための場」へと意味を逆転させるイノベーションです。

◆

公園を歩きながらそんなふうに頭を整理していた時、ふと、ある本のことを思い出しました。そういえば、先生はどんなことをおっしゃっていたかな。あの本をもう一度読みなおしたい！そう僕は思ったのです。

その本とは、日本の教育者で文学者のカンゾウ・ウチムラ（内村鑑三）の『後世への最大遺物』（1894）です。大学生の頃にすすめられて読みましたが、当時は「講演を記録した語り口がおもしろいな」と思ったくらいで、心に響いたとまでは言えなかったように思います。でも、今ならわかる気がする。すぐにでも読みたくなった僕は、きびすを返して足早に自宅へと向かいました。公園の出口近くのカーブを曲がると、そこにはいつもの緑色の小さな池があるはずでした。ところが、僕の目の前にはなんと藍(あい)色の大きな湖が広がっていたのです！

むせ返るような草木の香りがたちのぼり、気づくと僕はうっそうと茂った緑に囲まれていました。不安を感じながら辺りを見回すと、夕暮れ時の湖畔の片すみから大勢の人たちの笑い声が聞こえてきます。

あそこはなんだろう。急いで向かうと、そこは大きな講演会場でした。熱気に満ちた青年たちの背中越しに、一人の男がイスに座って静かに話しているのが見えます。

「13歳の頃、オヤジからもらったこの本の頼山陽の漢詩に出合い、自分も歴史に名を遺す人間になりたいという心がおこったのでございます」

男は手に持った本を紹介するようにかかげ、話を続けました。

「ところがその後キリスト教に接し、クリスチャンなどは功名を欲することはなすべからざることである、というような考えが出てきました」

男は彫りの深い顔立ちで、口髭をはやしています。

「しかしながら、私にはここにひとつの希望がある。安らかに天国へ往ければそれでたくさんかとおのれの心に問うてみると、その時に、私の心に清い欲がひとつおこってくる」

まちがいない。内村先生だ。僕はそう直観しました。

「どうぞ私は死んでからただに天国に往くばかりでなく、私はここにひとつのなにかを遺して往きたい。それでなにもかならずしも後世の人が私を褒めたってくれいというのではない、私の名誉を遺したいというのではない、ただ私がどれほどこの地球を愛し、どれだけこの世界を愛し、どれだけ私の同胞を思ったかという記念物をこの世に置いて往きたいのである」

先生は青年たちを見わたしながら、力強く続けました。先生の驚くほど大きな世界観、その強い想いに、僕はいきなり惹き込まれました。

「われわれが死ぬまでにはこの世の中を少しなりとも善くして死にたいではありませんか。なにかひとつ事業をなしとげて、できるならばわれわれの生まれた時よりもこの国を少しなりともよくして逝きたいではありませんか」

そう語ると、先生は遺すべきものとしてまず2つあげました。ひとつは「お金」。生涯かけて貯めた財産を孤児院や黒人の子どもたちの教育になげうったアメリカの資産家たちの例をあげ、たくさんのお金を国のため、社会のために遺して死んでいこうというのは実に清い希望だと言います。しかし、お金を貯めるのは難しいので、それができないのならば「事業」を遺すのがよい、と治水事業や探検事業の例をあげながら語りました。

そこであたりがパッと暗くなり、少しずつほの明るい光に包まれたかと思うと、僕は自分の部屋の片すみにつっ立っていました。僕は足元に落ちていた本をひろい上げ、軽くホコリを払うと、ベッドサイドのテーブルに置いて眠りにつきました。

気がつくと、僕はふたたび講演会場でした。どうやら翌朝のようです。

内村先生は昨夜の続きを話しています。お金を貯めるのは難しく、事業を遺すのも並大抵のことではない。ならば思想を遺すのがよい。後の世代に良い影響を与える本を遺すことや、青年に学問を教えることで人を遺すこと。これもまた、実に尊い遺物だと説いています。

まずはお金。お金を遺せないなら事業。それも無理なら思想を遺す。そうはいっても、なかなかできることじゃないよなあ……。内心そう思っていると、僕の心を見透かしたかのように先生は聴衆に問いかけました。

「事業家にもなれず、金を貯めることもできず、ものを教えることもできない。そうすれば私は無用の人間として、平凡の人間として、消えてしまわなければならぬか」

　そこで彼は「否」と答えます。人間なら誰にでも、利益ばかりで害がなく、後世に遺すことができる「最大遺物（the Great Legacy）」があると言うのです。

「それはなんであるかならば、勇ましい高尚なる生涯であると思います。これが本当の遺物ではないかと思う」

　青年たちが真剣なまなざしで見つめる中、内村先生の声が会場内に響きわたります。

「われわれに後世に遺すものはなにもなくとも、われわれに後世の人にこれぞいうて覚えらるべきものはなにもなくとも、あの人はこの世の中に生きているあいだは真面目なる生涯を送った人であると言われるだけのことを後世の人に遺したいと思います」

　拍手喝采で講演を終えて降壇する先生を、僕は本を手に追いかけました。なにを話したいというわけでもありませんでしたが、どうしても先生のそばに寄りたかったのです。先生は背を向けたまま、こうおっしゃいました。

「私はさいわいにして今日まで生きながらえて、この書に書いてあることに多くたがわずして私の生涯を送ってきたことを神に感謝します。この小著そのものが私の『後世への最大遺物』のひとつとなったことを感謝しています」

　先生は『後世への最大遺物』という書を遺された。そして、「勇ましい高尚なる生涯」を「最大遺物」として遺された――。先生、僕も必ずや後に続きますね。

内村鑑三
（1861-1930）

涙ぐみながらそうつぶやく僕の声が届いたかのように、先生は静かに立ち止まっておられました。

◆

そこで僕は目が覚めました。そこはいつもの寝室で、僕の横には開かれたままの本がありました。

「後世への最大遺物とはなにか」。この問いの答えとしてお金、事業、思想をあげ、聞き手に失望感を抱かせたのちに、「なにもできない自分こそが、実は勇ましく高尚なる生涯を遺す機会に与(あず)かれる」と説く。なんとウィットに富んだ展開、なんと勇気づけられる言葉でしょう。

「後世になにを遺すか？」という問いは、まさに自分の人生そのものを問うことに他なりません。では、私たちはどんな生涯を送ればいいのでしょうか。もっといえば、どんなふうに最期を迎えればいいのでしょうか。

私たちは、自分の人生について深く考える機会をなかなか持てません。ましてや「死」について考えることなど、ほとんどありません。ですから、「死」とは「自分に流れる時間が止まる終着点」ということ以上になにも考えられないのではないかと思います。最期に訪れる「死」だけはどう転んでも「一巻の終わり」としか位置づけられないのではないでしょうか。だからこそ、私たちはどうしても「死にたくない」と、死に恐怖を感じてしまいます。

あらためて考えてみると、私たちはなぜ「死にたくない」のでしょうか。内村先生の言うように、私たちの心のどこかに「自分がこの世に生きたあかしを遺したい」という気持ちがあるのではないかと思います。そう思いはするものの、なにをどう準備していいかわからないし、そもそも考えるのもおっくうなので、つい先送りしてしまいます。

しかし、「死」はある日突然やってくる。だからこそ、いざ死ぬという時に「まだなにも準備できていないよ！」と絶望的にさびしくなってしまうのではないでしょうか。

では、なぜ「準備ができてない」と思うのでしょうか。それは、私たちがなにか「結論」というか「完成形」のようなものを遺そうと無意識に思っているからではないか。しかし、私たちはいつまでたっても、それこそ文字どおり「死ぬまで」、そんな結論や完成形を準備することなどできません。にもかかわらず、私たちはそうしなければならない、そうしたい、と思い込んでおり、だからこそ「まだ誰にもなにも遺す準備ができていないのに、このまま消えてしまいたくない！」と思ってしまうのでしょう。

ですから、そもそも「なにか完成形を遺そう」などと考えなければいいのだと思います。そうではなくて、内村先生の言うように、「勇ましい高尚なる生涯を遺しさえすればいい」と考えればいいと思うのです。

あらためて、教育とはなにか。それは、大きな問いに立ち向かっていく姿を後に続く者に見せることではないか。時代とあわなくなってしまったもの、変な方向へ行ってしまったものを変え、「人々を救うためにはどうすればいいか？」「この地球を良くしていくためになにをすればいいか？」を生涯をかけて探究し続けることなのではないか。それこそが「勇ましい高尚なる生涯」であり、それそのものを私たちは後に続く者たちに遺していけばいいのではないか。そう僕は思うのです。内村先生もこのようにおっしゃっています。

> この世の中は悲嘆の世の中でなくして、歓喜の世の中であるという考えをわれわれの生涯に実行して、その生涯を世の中への贈物としてこの世を去るということであります。その遺物は誰にも遺すことのできる遺物ではないかと思う。
>
> ——内村鑑三

僕がこの文章でたくさんの先人たちを紹介してきた理由、それは、彼らの生涯を知ることによって僕がどれだけ勇気づけられたかを伝えて、これを読む人を勇気づけたかったからでした。偉大なる先人たち、同時代の同志たち、そして自分の仲間たちの人生がいかに「勇ましく高尚なるもの」だったかを伝えること。そして自分の生涯を通して、自分が生きた「意味」のうつり変わりを見せていくこと。それこそが教育であり、善く生きるということであり、公共の利益であり、人生を賭けてとりくむに値することなのだと結論づけたいと思います。

世界は変えられる。

自分が変わりさえすれば、いつだって変えられる。

現在や過去、未来の仲間と一緒なら、なんだってできる。

私たちは地上では欠けた弧。蒼穹の大きな螺旋に連なる一辺の小さな弧。

たとえ一部にしかなれずとも、後に続く者がいつかそれを完成してくれる。

そんなふうに心から思えれば、死は「一巻の終わり」ではなく、決してさびしくもないのではないかと思うのです。

……いや、どうだろう。正直に言うとわかりません（笑）

わからないので、命ある限り、これからも楽しく探究を続けていきたいと思います。

後世になにを遺すか。

これが教育に関する究極の問いだということを、
内村先生とともに再確認することができた。

自分の生涯を通じ、自分が生きた「意味」の
変遷を見せていくこと。
これこそが学びであり、教育であり、
人生を賭けてとりくむに値する。

この先生の教えは、「世界は自ら変えられる」と信じ、
世界を良くすることに生涯にわたって
とりくむべきだという僕の考えを
ちがう形で表現したものだと気がついた。

「勇ましい高尚なる生涯」を遺す。
もう、迷うことはない。

これにて、僕の旅路はひとまずの終わりを迎えた。

Q

あらためて、人はなんのために学ぶのか。

この根本的な問いについて、真正面からとりくむべき準備がついにできた。
長い旅を経て、僕はそう感じました。

ふりかえってみると、この旅は結果として、思った以上に壮大な旅になりました。
古今東西の様々な思想にふれながら新しい世界を構想し続けた道のりは、
知的興奮にあふれ、とても楽しいものでした。

そこで、いよいよ結論を出す時が来ました。
人が学ぶ理由、それは、

おわりに　新しい冒険へ

僕の探究の旅のきっかけとなり、そして今もなお抱き続けているのは、次のような問いです。

「社会を良い方向へと向かわせる『くさび』となる一撃をどこに打てばいいのか？」

それは「教育のアップデート」にあるといろいろと考え始めたのがこの本を書くきっかけとなりました。そこから新たな問いがどんどん生まれ、その問いを自分なりに探っていくうちに、様々な歴史や先人の知見を知り、しかも、どれもお互いに深くからみあっていることに気づきました。そして、そこから旅が自由に展開した結果、このような本になりました。

米国の作家ダニエル・クインは次のように言っています。

> 「古いビジョン」と「新しい計画」では世界は救われない。世界を救うのは「新しいビジョン」と「計画の不在」である。（訳は本書の著者）
>
> ――ダニエル・クイン

旅の良いところは計画のないところです。そのかわりに、ひとたびなにかおもしろいシグナルを見つけたら即、大胆に行動できるようフットワークを軽くしておくことが大事だと思います。僕はそう心がけたことによって、いろいろなことを学び、ワクワクするアイデアに出合えました。

いろいろ書いてきましたが、結局のところ、僕が言いたいことはとてもシンプルです。やりたくもない勉強なんかしなくても、しかめっ面して仕事しなくても、未来のことばっかり考えて不安にならなくても、ただ楽しい遊びをとことん追究すればいいじゃない。なにが役に立つかわからないんだから、世の中で良いとされてるものに従わなくても、誰かが決めた評価軸に合わせなくてもいいじゃない。

自分の好きなことを追究したほうが結局、自分にとってもみんなにとっても役に立つかもしれないよ。子どもを子ども扱いせず、大人を大人扱いせず、なんでも一緒につくって、なんでも分かちあっていけば、きっとうまくいくはず。それで一生を楽しく送れたら、最高じゃない？

これだけです。それを人は夢想家だと言うかもしれませんが、同じように想ってくれる人はきっと僕一人ではないはずです。

探究の旅に出かけた結果、このように本気で考えるようになった僕が出合った最大のアイデア、それは、仲間と遊びながら「どうすればこの世界を良くしていけるか?」を探究する場、すなわち「冒険者のための遊び場」をつくっていくことでした。「遊び場」に共通するテーマは、この世界を今より良くするような新しい世界を「結果的に」つくり出すこと。現代社会の改良版ではなく、「まったく新しい世界」と呼べるくらいかっ飛んだものを生み出すことによって、今ある大きな課題をいっぺんにふっ飛ばしてしまうようなものをつくり上げることです。

その姿はまだぼんやりとしか見えませんが、「きっとこういうものじゃないかな?」「こんな感じだったらめちゃくちゃ楽しいだろうな！」というビジョンは徐々に見えてきています。

一緒に新しいものをつくり出す楽しさと喜びに没頭し、時間にしばられることも、不安を感じることもなく、つくり手とつかい手とがアプリシエーションにもとづく幸福な信頼関係で結ばれている世界。「世界をうまく回すための最良の方法は、世界を贈与で埋め尽くすことなんだ」ってことを誰もが信じ、多様なコミュニティに属しながら一人ひとりが好きなように生きていける世界。

言葉で書くとなんだかピンとこないかと思いますが、そのような世界を実際につくる活動をとにかく始めてみようと思っています。最初は、新しい世界を生み出す起点となる小さな生態系をつくるところからになると思いますが、そこを僕は「ライフロング・プレイグラウンド(Lifelong Playground)」と名づけようと思います。

なにかの意図をもって通うのではなく、ともかくそこへ行って、それからなにをして遊ぶかを決められる特別な場所。なにが起きるかがあらかじめわからないからこそ、新しい遊び、すなわち、新しい探究の種が生まれる場所。そこは、人々が常に学びとアンラーンを繰り返しながら、自分がとらわれている「箱」を開け放ち、可能性を解き放つ場所になるはずです。そして、それこそが「学校」の新しい姿であり、意味であると僕は考えています。

早速、僕はライフロング・プレイグラウンドをつくる旅に出かけることにします。

旅先のどこかでお会いできることを楽しみに。

今度は、君が冒険の書を書く番だ。

旅の仲間たちへの謝辞

僕は社会や教育について素朴な疑問を抱くと、それを「探究ノート」に書き留めるようにしています。当初は自分のためにメモしていただけでしたが、いつ頃からか、その問いから学び、考えたことを同じ問題意識を持つ仲間にシェアできるようエッセイ風に表現するようになりました。僕にとってそれは良いアウトプットになるし、みんなにとってもなにか参考になるかもしれないと思ったからです。実際にやってみると効果は絶大で、今も誰に頼まれるわけでもなく楽しくエッセイを書き続けています。

ある日、そのエッセイの投稿をリアルタイムでご覧になっていた編集者の**中川ヒロミさん**に「これ、書籍にしませんか?」というご提案をいただき、そこから本書の制作が始まりました。彼女と話していくうちに、「書籍をつくるのであれば、ぜひ未来をつくる若者たちにいちばんに届けたい」と思うようになった僕は、それまで2年間にわたりほぼ毎日書いていたエッセイ集を、新たな対象に向けてイチから書き直すことにしました。そして、そこからさらに2年ほどかけ、本書は完成しました。

哲学者や思想家、研究者の著書や論文は、正確な記述を期するあまり、前提となる知識を持たない人にはなかなか理解し難いところがあります。そこで、それらの引用や参照の意味するところが読み手に伝わりやすくなるように、僕があたかも著者と対話をしているような形にするのはどうかと考え、脚色を試みることにしました。そのアイデアを一緒に考案し、執筆を手伝ってくれた**施依依さん**、**福地美貴さん**、**堀井章子さん**、**渡邉賢太郎さん**は「共同執筆」と言っても差し支えないほど大きな貢献をしてくださいました。登場する人物の台詞のほとんどはその人の著述をベースとしており、過度な演出によって参照や引用から大きく外れないよう心がけましたが、対話している感じを出すため言葉づかいや口調には特に気を遣いました。たとえば、親鸞には京都の言葉、唯円には河和田（現在の茨城県水戸市）の言葉をしゃべってもらいましたが、監修してくださった**小笠原治さん**と**小池英智さん**のおかげで、彼らがリアルにしゃべっているような感じが出せたと思います。

本書は僕の考える教育論であり、社会論でありアンラーニング論ですが、同時に物事をクリティカルにとらえ、世界を変えた偉大な先人たちの書籍を紹介するブックガイドにしたいと思いました。前述の方々に加え、巻末の紹介文の執筆を補助し、編纂をサポートしてくださった**先名康明さん**と**岡田寛子さん**のおかげで「冒険の書たち」をうまく紹介することができました。また、僕が縦横無尽に文献を参照して好き勝手書いてしまったため、校正もたいへんな労力を要することになってしまったのですが、前述の方々に加えて**佐藤公彦さん**の手堅い仕事にはとても助けられました。また、誤字脱字や表現のゆらぎのチェックにとどまらず、言葉の選択や語順、読んだ時のリズムの良さにまで細心の注意をはらって文章全体のディレクションをしてくださった**瀬戸久美子さん**には格別の感謝を申し上げたいと思います。本来かなり難解な表現にならざるをえない内容にもかかわらず、ここまで読みやすく仕上げることができたのは、ひとえに彼女のディレクションの賜物だと言っても過言ではありません。

一方、本書の内容が読み手に受け入れてもらえるかどうか不安だったため、ある程度書いてみた段階で様々な人々との座談会や勉強会、インタビューなど試行錯誤を行いました。そのアレンジとコーディネーションに奔走してくれた**堀井章子さん**にも特別にお礼を申し上げたいと思います。その過程でお世話になった**石井莉玖さん**、**稲田凌佑さん**、**大塚拓哉さん**、**落合希美さん**、**金子透さん**、**田澤恵美さん**、**松本亜莉沙さん**、**森山耀さん**、**山﨑路真さん**、そして米国の若者たちの考えについて有益な示唆をくれ、一度は共同執筆にも取り組んでくださった**吉平記子さん**と**吉平健治さん**にも心からお礼を申し上げたいと思います。書き終えた今もなお本書が受け入れられる自信はないのですが、彼らの素晴らしいサポートのおかげで僕は大いに勇気づけられ、ここまでたどり着くことができました。

僕がそもそも探究を始めるきっかけを授け、折にふれてその探究に道標やコンテクストを付加し、論点を肉付けしてくださった**会田大也さん**は、本文中でもちょっと脚色の入った登場の仕方をしていただきましたが、どれだけ感謝を述べても足りないくらい唯一無二の同志だと思っています。また、ルソーやフレイレなどの教育思想について教えてくださった**藤原さとさん**と**竹村詠美さん**、カーネギーのアプリシエーションについて教えてくださった**木村和美さん**と**木村紀さん**、「意味のイノベーション」について考えさせてくれた**上町達也さん**と**柳井友一さん**、**安西洋之さん**、本文中には出てきていないけれど、僕の考え方に大きな影響を与えた時間観念の議論におつきあいくださった**片山崇さん**、**塩屋純一さん**、**滝沢久輝さん**、**森本佑紀さん**、僕が投稿したエッセイを自発的に編纂して全体を俯瞰する視点をくださった**平野友康さん**、**小笠原治さん**、僕との対話や議論の場を幾度も設けてくれ、全体を通じて様々なインスピレーションをもたらしながら旅をご一緒してくれた**奥山奈央子さん**、**小島幸代さん**、**重冨健一郎さん**、本書について素敵なアプリシエーションをして勇気づけてくれた**飯田さやかさん**、**上原康大さん**、**奥本直子さん**、**尾花佳代さん**、**栗岡大介さん**、**古川波留香さん**、**宮口礼子さん**など、みなさんの貢献は非常に大きかったということをここで強調しておきたいと思います。

また『冒険の書』の前に書いたエッセイ集を英語に翻訳する作業を、**繁田奈歩さん**、**大蘿淳司さん**、**西出香さん**、**三宅大介さん**、**山崎恵さん**、**ホイリョン・リーさん**と共に7か月間ほぼ毎日続けたのですが、別の言語に翻訳することがこんなにも理解を深めることにつながるのかとつくづく思い知りました。そうした翻訳の日々そのものも僕にとってまさに思考と探究の過程であり、そのおかげで多くの気づきがありました。彼らも本書の旅の仲間のように感じています。

それでいえば、日々投稿していたエッセイにコメントをつけて様々なフィードバックをくださったみなさんにもぜひお礼を述べたいです。特に、**有田雄三さん**、**梶岡秀さん**、**更科安春さん**、**新城健一さん**、**谷口真治さん**、**原田朋さん**、**丸山不二夫先生**、**三浦謙太郎さん**、**安川新一郎さん**からはハッとするご指摘や質問をいただき、僕だけでは気づきえない多角的な視点をもたらしてくださいました。

ここで、本書のアーティスティックな側面にもぜひ触れておきたいと思います。まず、一目で思わず魅入られ、しばらく眺めているうちにいろいろなことが気になり始め、しまいにはそこに描かれている世界にどっぷりと惹き込まれてしまうような得も言われぬ魅力をたたえ、『冒険の書』というタイトルに圧倒的な説得力と果てしない想像力を与えるキービジュアルを描いてくださったコミックス・ウェーブ・フィルムのディレクターの**三木陽子さん**、作画の**西村貴世さん**、美術の**瀧野薫さん**には最大限の称賛と敬意を表したいと思います。初めて原画を見せていただいた時、鳥肌が立ちました。そんな素晴らしいクリエイティブチームをプロデュースしてくださった同社代表取締役の**川口典孝さん**、コーディネートをしてくださった**倉田泰輔さん**に対するご恩も一生忘れません。

次に、美術史や音楽史のコンテクストをふまえつつ遊び心とウィットに富んだモチーフ、文章を読み進める目と手が思わず止まってしまうほど一つひとつの絵に込められた作画への情熱、アーティストとしてのオリジナリティと「挿絵」という機能の制約がもたらした絶妙な創造性のバランスなど、本書の挿絵としてこれ以上のものはないのではないかと思わせる絵を描いてくださった**あけたらしろめさん**にも手放しの賛辞と手が痛くなるほどの拍手をお贈りしたいと思います。

彼らの作品こそまさに、絵を描くのが好きで楽しくて描いているうちにできあがってしまったという好例だと思います。それを体現して素晴らしい作品を創造してくださったことそのものが、僕の文章以上に大きな説得力を生み出してくださったと言えるでしょう。

また、カバー絵の魅力を最大限引き立たせ、挿絵が持つパワーをレイアウトの妙で読み進める推進力に変え、フォント選びで信頼性を担保しつつ、ラインの引き方や色の敷き方で柔らかさと遊びを加え、複雑に絡み合った要素を綺麗に整理して制作側の意図を伝わりやすくしてくださった**tobufune**の**小口翔平さん**、**畑中茜さん**、**青山風音さん**のブックデザイナーとしての素晴らしい仕事にもたいへん感銘を受けました。

「これしかない」というコピーを書いてくださった盟友、**小西利行さん**にも頭が下がります。普段「コニタン」と愛称で気軽に呼んでいたことを恐縮するほど素敵なコピーは、クリエイティブの世界で第一線を走り続けてきた一流の仕事としか言いようがありません。同じく、公私ともにいちばんの「遊び仲間」であるビッグブラザー、**大蘿淳司さん**と**宮田人司さん**は、本書の制作においてもあらゆる面で彼ら一流の助言をくださいました。そして、僕にとって本書の思想の実践ともいえるVIVITAの仲間たち、特に**イエヴァ・マチュリオニテさん**、**大野愛弓さん**、**境理恵さん**、**佐藤桃子さん**、**マリ-リース・リンドさん**には常に実践からのフィードバックをもらっており、それが本書のメッセージに多大な影響を与えています。

そして、楽しく一緒に遊んでいるからこそではあったのですが、僕の様々なわがままを懐深く受け止め、よりよい本づくりを目指して尽力してくださった**中川ヒロミさん**、**福地美貴さん**はあえて再度ここに名前を挙げさせていただこうと思います。

ここまで、『冒険の書』の制作に直接、具体的に貢献くださった方のみを挙げさせていただいたのですが、それでもこれだけの多士済々な面々が関わってくださいました。あらためていかに多くの方々によって本書が支えられたかを実感し、この謝辞を書きながら涙がにじみました。

みなさんすべて、僕を変えてくれたかけがえのない存在です。みなさんがいなければこの本は存在しませんでした。それと同時に、**秋吉浩気さん**や**宇井吉美さん**、**北川力さん**、**高木慎一朗さん**、**堤大介さん**、**元木大輔さん**、**シャーリー・クリスタル・チュアさん**、**ジェレミー・シムさん**、**ジョハンナ・L・リーズさん**、**マイケル・キムさん**をはじめとして、僕という人間を形づくってくれた多くの起業家やアーティスト、大切な友人たち、愛する人たちにも想いを馳せないわけにはいきません。該当する方すべてをここに挙げることはかないませんが、一人ひとりのお顔を心に思い浮かべながら、丁寧にお礼を申し上げたいと思います。

最後に、「父からの手紙」を書く際に念頭に置いた**カイセイ**、**ケン**、**コウキ**、**タイト**、**ダイゴ**、**ハル**、**ミア**、**ミユ**、**レン**、そして**ヒンドリク**、**カロリン**、**シュンスケ**、**ショーヘイ**、**ミナ**、**ミナト**、**ルイ**をはじめとしたＶＩＶＩＮＡＵＴたち、「無用之用」と「ライフロング・アンラーニング」に書いた教えを授けてくれた**三憲**、そして**せいあ**、**玉子**、**正明**、**正義**、**正憲**を挙げて、その間でバトンをつなげる幸せをかみしめようと思います。

みなさま、ほんとうに、ありがとうございました。

世界に散らばる冒険の書たち

1

世界図絵
ヨハン・アモス・コメニウス

リヴァイアサン
トマス・ホッブズ

監獄の誕生
ミシェル・フーコー

脱学校の社会
イヴァン・イリッチ

「わかり方」の探究
佐伯胖

<子供>の誕生
フィリップ・アリエス

教育に関する考察
ジョン・ロック

エミール
ジャン＝ジャック・ルソー

オウエン自叙伝
ロバアト・オウエン

人を動かす
デール・カーネギー

コンヴィヴィアリティのための道具
イヴァン・イリッチ

アフタヌーン・インタヴューズ
マルセル・デュシャン

荘子
荘子

歎異抄
唯円？

動物の環境と内的世界
ヤーコプ・フォン・ユクスキュル

被抑圧者の教育学
パウロ・フレイレ

後生への最大遺物
内村鑑三

世界に散らばる冒険の書たち

2

『世界図絵』Orbis Sensualium Pictus

初版:ドイツ, 1658
著者:ヨハン・アモス・コメニウス(Johann Amos Comenius)1592-1670
訳者:井ノ口淳三
平凡社, 1995

人間はあらゆることをちゃんと知れば、当然賢くなる。賢くなれば、争いのない平和な世界がつくれるはず。そのために、誰もが楽しんで学ぶことができるような本を書こう──本書はそんな想いで1658年に出版され、18世紀には聖書に次ぐベストセラーとなりました。素朴な木版画とやさしい文章で自然や文化を学ぶことができる世界初の絵本、そして教科書です。

『リヴァイアサン』Leviathan or The Matter

初版:イギリス, 1651
著者:トマス・ホッブズ(Thomas Hobbes)1588-1679
訳者:水田洋
岩波文庫, 1954

私たちがあたりまえに受け入れている「国家」が発明された過程を目の当たりにできる本です。戦争期のイギリスを生きた著者が、平和な世界を求め、人々の意志でつくられる「国家」の成立を目指して練り上げた世界観とロジックが存分に披露されています。人間はサバイバルのために他人に暴力をふるう権利を持っているのか。それを制御するのは誰か。国家の意義とはなにか。ページをめくる手が止まりません。

『監獄の誕生＜新装版＞──監視と処罰──』

Surveiller et punir: Naissance de la prison

初版:Gallimard, フランス, 1975
著者:ミシェル・フーコー(Michel Foucault)1926-1984
訳者:田村俶
新潮社, 2020

私たちはいわば、「監獄」に自らすすんで入っている囚人なのだ──そんな痛烈な指摘にはあなたも動揺せずにはいられないでしょう。守っていることをもはや意識することさえないほどあたりまえにある「規律」。そのルーツは監獄にあり、そこから人々を監視・管理する技術が生まれ、学校や軍隊、病院、工場にも広まって管理社会ができあがったことを暴きました。目をそらさず、向き合うべき一冊です。

『脱学校の社会』Deschooling Society

初版：Harper & Row, アメリカ, 1970
著者：イヴァン・イリッチ（Ivan Illich）1926-2002
訳者：東洋, 小澤周三
東京創元社, 1977

「学校とは用意された内容を教えてもらいに行く場所だが、それでよいのか？ そもそも、学ぶとはどういうことなのか？」──著者はそんな答えにくい問いを私たちに激しく投げかけてきます。自分の内側から自然と湧き上がる欲求に従って学ぶことの大事さ、そしてそのような環境を整えるための新しい構想について披露しており、読むのと読まないのでは今後の人生に大きな差が出る一冊と言えます。

『「わかり方」の探究──思索と行動の原点』

初版：小学館, 日本, 2004
著者：佐伯胖 1939-

「本当に幸せで、心の底から楽しいと思える生き方はどのようなものだろうか？」──この問いにズバリ答えているのがこの本です。著者によれば、人生の醍醐味は「わかろう」として様々なことを探究していくこと。「勉強」ではなく「探究」。誰にとっても役に立つ、味わい深く喜びに満ちた人生を送るヒントがたくさん書かれていると同時に、教育という視点から現代の課題を鋭く見抜いた一冊だと言えるでしょう。

『〈子供〉の誕生──アンシャン・レジーム期の子供と家庭生活』L'enfant et la vie familiale sous l'Ancien Régime

初版：Plon, フランス, 1960
著者：フィリップ・アリエス（Philippe Ariès）1914-1984
訳者：杉山光信, 杉山恵美子
みすず書房, 1980

かつて「子ども時代」という考え方は存在しなかった──この衝撃的な事実を初めて指摘したのがこの本です。「子ども」は資本主義によって人工的につくられていったという事実が浮き彫りにされるにつれ、あたりまえだと思っていた大人と子どもの区別がむしろ不自然に思えてきます。「子どもを教育する」という常識を見直さずにはいられない読書体験は、他の本ではなかなか味わえないものです。

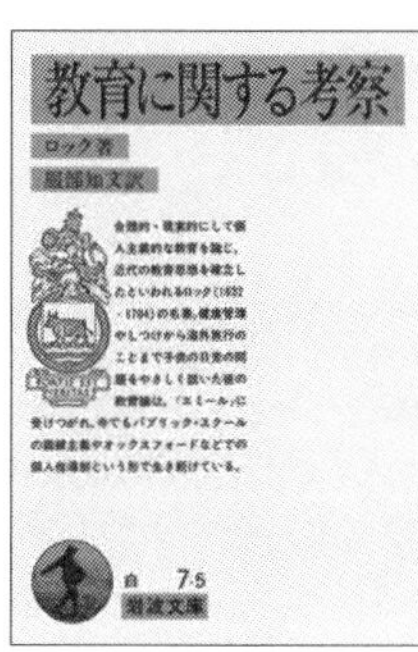

『教育に関する考察』Some Thoughts Concerning Education
初版：イギリス，1693
著者：ジョン・ロック（John Locke）1632-1704
訳者：服部知文
岩波文庫，1968

王様や貴族にかわり、市民が主役になっていくイギリス名誉革命の時代。そんな大きな変革期に「これからの時代に必要な市民とは？」「そのような市民を育む教育とはどんなものであるべきか？」という問いを考え抜いたのが本書です。より根本の「人間とはどのような存在か？」という問いから得た斬新な発想とそこから導き出された画期的なコンセプトは、激動の時代に生きる私たちに様々なヒントを与えてくれるでしょう。

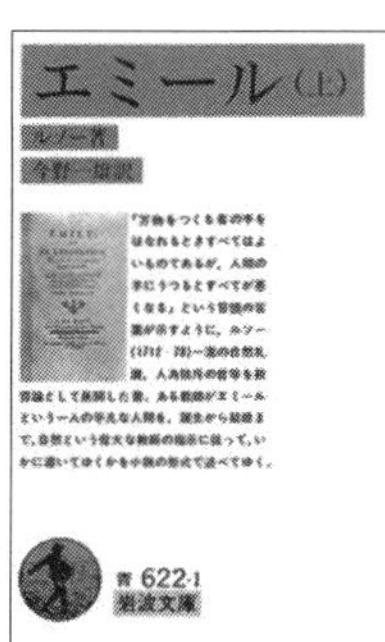

『エミール』Émile, ou De l'éducation
初版：フランス，1762
著者：ジャン＝ジャック・ルソー（Jean-Jacques Rousseau）1712-1778
訳者：今野一雄
岩波文庫，1962

「すべての人に必要な教育とはどのようなものか？」という難しい問いに、「自然人」という新しい概念で考えを導いたのが本書です。世界で初めて子どもの人格を尊重し、個人差を認め、初等教育の重要性を説いて世界に衝撃をもたらしました。斬新すぎて発禁処分となり、逮捕状が出されたほどヤバい本です。現代まで続く教育の礎となったこの本は、内容はもちろん、その発想や表現方法も含めて熟読に値します。

『オウエン自叙伝』The Life of Robert Owen
初版：イギリス，1857
著者：ロバアト・オウエン（Robert Owen）1771-1858
訳者：五島茂
岩波文庫，1961

労働者が幸せに働ける理想的な工場をつくろう――そう決意した著者は、苦労を重ねながら実践に取り組み、大成功を収めました。世界初の生活協同組合や幼児学校、体育館、サマータイム制度など画期的な仕組みをつくりあげたイノベーターの自伝である本書は、どんな成功者の本を読むよりも、私たちにたくさんのインスピレーションを与えてくれます。著者を知れば知るほど、いろいろな意味でグッとくる本です。

『人を動かす 文庫版』How to Win Friends and Influence People

初版：Simon and Schuster, アメリカ, 1936
著者：デール・カーネギー（Dale Breckenridge Carnegie）1888-1955
訳者：山口博
創元社文庫, 2016

成功者たちに共通の考え方、それは「他人を変えようとするのではなく、自分の行動を変えることで他人の行動を変えることができる」と信じて行動していることだと著者は言います。そして、「他人とどのように関わるべきか？」という誰もが気になる問いについて考えることこそが、自己変革のきっかけなのだと気づかされます。時代を超えて長く読み継がれる普遍性をもつ、生涯にわたっておつきあいできる一冊です。

『コンヴィヴィアリティのための道具』Tools for conviviality

初版：Harper & Row, アメリカ, 1973
著者：イヴァン・イリッチ（Ivan Illich）1926-2002
訳者：渡辺京二, 渡辺梨佐
ちくま学芸文庫, 2015

便利な機械を発明して人間は楽になるはずだった。でも、結局はその機械を受け身で使い続ける奴隷になってしまった——著者は現代社会をそう批判し、もっと人間本来のいきいきとした暮らしのある社会をつくりあげるべきだと説きました。そのためには、道具を独り歩きさせず、人間の暮らしの手もとに置き続けることが大事だと言います。新たな社会を構想するためのヒントが詰まった、必読の一冊です。

『マルセル・デュシャン アフタヌーン・インタヴューズ——アート、アーティスト、そして人生について』

Marcel Duchamp: The Afternoon Interviews

初版：Badlands Unlimited, アメリカ, 2013
著者：マルセル・デュシャン（Marcel Duchamp）1887-1968, カルヴィン・トムキンズ
訳者：中野勉
河出書房新社, 2018

「コンテンポラリー・アート」と聞くと、なんだかへんてこりんでなにがどう良いのかさっぱりわからない——そんな人でも本書を読めば背景にある考えが垣間見えるかもしれません。西洋芸術の歴史を揺るがし、コンテンポラリー・アートに決定的な影響を与えたデュシャンの鋭い直観、ユニークな発想、新しいコンセプト、大胆な行動、そしてそれを支えた彼の人となりは、すべての創造者にとってまちがいなく一読に値します。

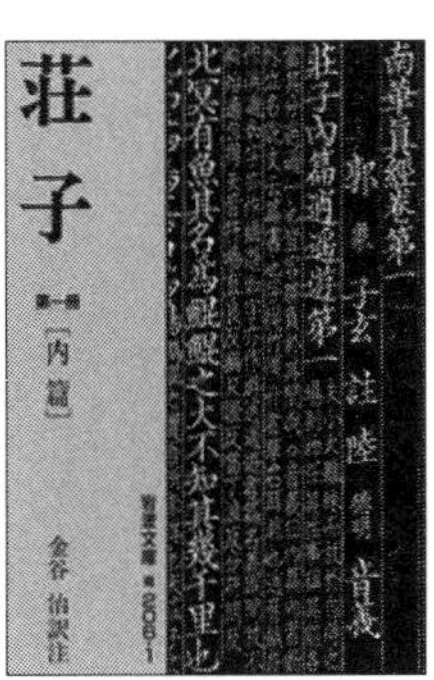

『荘子 第一冊［内編］』

成立：BC200頃
著者：荘子(荘周)BC369頃-286頃
訳注：金谷治
岩波文庫，1971

邪魔な大木も「素晴らしいじゃないか、その木陰で昼寝をするよ」と笑い飛ばせばいい。あるがまま無我夢中の「遊」の境地で見れば、他人が「役立たず」と言うものにも使いみちは必ずあるものだ──荘子は、このように常識がひっくり返ったところに好んで価値を見いだしました。あるがままを受け入れることが、生きることを楽しむことにつながるという彼の思想は、今もなお近現代の哲学を圧倒し続けています。

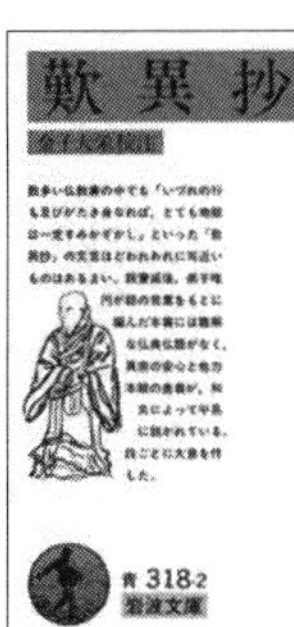

『歎異抄（たんにしょう）』

成立：1288頃
著者：唯円？(Yuien)1222-1289
校注：金子大栄
岩波文庫，1931

どんなに叡智（えいち）を手に入れても、人知の及ばない領域がある。だからこそ、人間は不完全で悩みがつきない生き物なのだ。そんな弱い人間だからこそ、煩悩（ぼんのう）は捨てなくてもよい。むしろ煩悩とともに生きよ──危険思想とみなされ、激しい弾圧にあいながらも困難な時代に生きる人々に受け入れられていったその教えの本質を、あなたもぜひ自分で探ってほしいと思います。カミソリのような鋭い言葉が並ぶ慈愛の書です。

『動物の環境と内的世界』Umwelt und Innenwelt der Tiere

初版：ドイツ，1909
著者：ヤーコプ・フォン・ユクスキュル（Jakob Johann Baron von Uexküll）1864-1944
訳者：前野佳彦
みすず書房，2012

昆虫や動物がとらえている世界は、人間のとらえている世界とまったく違う──本書は、いろいろな生き物が世界をどう知覚しているかを解説しながら、「環世界（かんせかい）」というコンセプトを紹介しています。20世紀以降の生物学や生命科学に劇的な変化をもたらし、21世紀の哲学思想の先駆けとして評価が高まっている本書を読むと、人間の理解する世界がすべてではないという視点にハッとさせられます。

『被抑圧者の教育学 50周年記念版』Pedagogia do Oprimido

初版:Paz e Terra, ブラジル, 1968
著者:パウロ・フレイレ(Paulo Freire)1921-1997
訳者:三砂ちづる
亜紀書房, 2018

抑圧されている人は、抑圧する人との対話によって初めて自分の現状を自覚し、なにを学ぶべきかを知ることができる。対話を重ねることでしか現状を変えることはできず、人間らしさを取り戻すことはできない──著者はそう語り、対話を実践して世界に大きな変化をもたらしました。現実に向き合い、世界に耳を澄ませることを恐れるなという彼のアドバイスは、自分を変えたいあなたの背中を押してくれるでしょう。

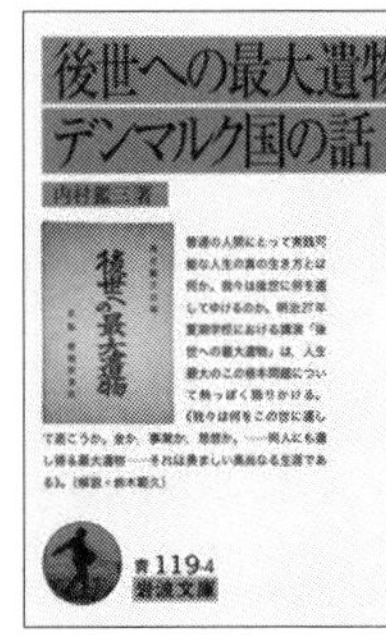

『後世への最大遺物 デンマルク国の話』

The Greatest Legacy
初版:岩波文庫, 日本, 1946
著者:内村鑑三(Kanzo Uchimura)1861-1930
岩波文庫, 2011

お金もない。ましてや立派な業績や思想なんてあるはずもない。そんな自分がこの世界のためにいったいなにができるというのだろう。そう思ったらこの本。自分なんて大したことない人間が、この世界にいったいなにを遺せるというのだろう。そんな想いがよぎったら、何度でもこの本。明治27年夏、著者が青年にユーモアを混ぜながら率直に語りかけた、あなたの人生を変えるきっかけとなる名文がここにあります。

QUESTION INDEX

本書の問い

第1章 | UNLEASH 解き放とう

第2章 | UNLOCK 秘密を解き明かそう

第3章 | THINK OUT LOUD 考えを口に出そう

第4章 | EXPLORE 探究しよう

第5章｜UNLEARN 学びほぐそう

参考文献

はじめに　「内田樹×斎藤幸平「『人新世』の人類滅亡危機にマルクス経済学が必要になる理由」西岡千史構成、AERA.dot、朝日新聞出版 https://dot.asahi.com/wa/2020122500035.html（参照2023.1.2）

父からの手紙　「非常日本の直言」清沢洌著、1933（昭和8）年3月14日／底本：橋川文三編「暗黒日記1」（ちくま学芸文庫）

第1章　ある冒険者のお告げ

『世界図絵』ヨハン・アモス・コメニウス著、井ノ口淳三訳、平凡社、1995

300年つづく呪文

『ホッブズ 市民論』トマス・ホッブズ著、本田裕志訳、京都大学学術出版会、2008

『リヴァイアサン』トマス・ホッブズ著、水田洋訳、岩波文庫、1954

パノプティコンの憂鬱

『監獄の誕生＜新装版＞』ミシェル・フーコー著、田村俶訳、新潮社、2020

『コンヴィヴィアリティのための道具』イヴァン・イリイチ著、渡辺京二、渡辺梨佐訳、ちくま学芸文庫、2015

縛りを解き放て！

『幼児期と社会』エリク・H・エリクソン著、仁科弥生訳、みすず書房、1977

スローな学びにしてくれ

『言語の生物学的基礎』E.H.レネバーグ著、佐藤方哉、神尾昭雄訳、大修館書店、1974

失敗する権利

「失敗と試行錯誤をさせれば、センスがなくても全員成功する AI時代に“創発”を起こす方法」ログミー　https://logmi.jp/business/articles/322126（参照2023.1.2）

第2章　ザ・グレート・エスケープ

「褒めて育つって？ 浜田寿美男」不登校新聞 https://futoko.publishers.fm/article/3479/（参照2023.1.2）

『脱学校の社会』イヴァン・イリッチ著、東洋、小澤周三訳、東京創元社、1977

3つに分けられた悲劇

『「わかり方」の探究』佐伯胖著、小学館、2004

『フロー体験 喜びの現象学』ミハイ・チクセントミハイ著、今村浩明訳、世界思想社、1996

暴かれた秘密

『＜子供＞の誕生』フィリップ・アリエス著、杉山光信、杉山恵美子訳、みすず書房、1980

『日本幼児史』柴田純著、吉川弘文館、2013

タブラ・ラサ

『教育に関する考察』ジョン・ロック著、服部知文訳、岩波文庫、1968

『人間知性論』ジョン・ロック著、大槻春彦訳、岩波文庫、1977

子どもは子ども？

『社会契約論』ルソー著、桑原武夫、前川貞次郎訳、岩波文庫、1954

『エミール』ジャン＝ジャック・ルソー著、今野一雄訳、岩波文庫、1962

「Creative Schools」Sir Ken Robinson and Lou Aronica, Penguin Books.

子どもを書物でいじめるな

『オウエン自叙伝』ロバアト・オウエン著、五島茂訳、岩波文庫、1961

第 3 章　能力という名の信仰

『天才と遺伝』ゴールトン著、甘粕石介訳、岩波文庫、1935

『増補　責任という虚構』小坂井敏晶著、ちくま学芸文庫、2020

「学校の役割とは何なのか？」Shinji Iwaki
https://note.com/shinji_iwaki/n/na47be051d2c7（参照2023.1.9）

「小坂井敏晶氏オンライン講演会『教育という虚構』」We-Steins Japan
https://www.youtube.com/watch?v=7jlqCjHi8Yo&feature=share&fbclid=IwAR0CCn5gGnTc4DTDVHwMLV59ioYSgu2ja_qGck3rOZyLncAH2NM1XEML5nc&app=desktop（参照2023.1.9）

『IQってホントは何なんだ？』村上宣寛著、日経BP、2007

循環論法のトリック

『コンヴィヴィアリティのための道具』イヴァン・イリッチ著、渡辺京二、渡辺梨佐訳、ちくま学芸文庫、2015

『貨幣論』岩井克人著、筑摩書房、1993

優劣のラインを越えて

『人を動かす 文庫版』デール・カーネギー著、山口博訳、創元社文庫、2016

I＋E＝M

『メリトクラシー』マイケル・ヤング著、窪田鎮夫、山元卯一郎訳、講談社エディトリアル、2021

「「メリトクラシー」の諸問題」G. H. ゴールドソープ、小内透訳、A. H. ハルゼーほか編
（『教育社会学第三のソリューション』九州大学出版会、2005）

学力なんか身につけてどうするの？

『2049年「お金」消滅』斉藤賢爾著、中公新書ラクレ、2019

異なる点と点を結ぶ

「P&Gも実践する「Connecting The Dots」イノベーションを起こすための“新しい”つながり方」
米田恵美子　https://agenda-note.com/brands/detail/id=827（参照2023.1.2）

第 4 章　車輪の「無意味」

『マルセル・デュシャン アフタヌーン・インタヴューズ 』マルセル・デュシャン、カルヴィン・トムキンズ著、中野勉訳、河出書房新社、2018

無用之用

『荘子 第一冊[内篇]』荘子著、金谷治訳、岩波文庫、1971

悪人正機のカミソリ

『歎異抄』金子大榮校注、岩波文庫、1931

答えるな、むしろ問え

『人種は存在しない』ベルトラン・ジョルダン著、山本敏充、林昌宏訳、中央公論新社、2013

『世界をつくった6つの革命の物語』スティーブン・ジョンソン著、大田直子訳、朝日新聞出版、2016

つくるとわかる

『動物の環境と内的世界』ヤーコプ・フォン・ユクスキュル著、前野佳彦訳、みすず書房、2012

「世界に変えられてしまわないために」緒方壽人
https://note.com/ogatahisato/n/n3e0da74d14da(参照2023.1.2)

第5章 ギブ・アンド・ギブン

「自立とは「依存先を増やすこと」」全国大学生活協同組合連合会
https://www.univcoop.or.jp/parents/kyosai/parents_guide01.html(参照2023.1.2)

『信用の新世紀』斉藤賢爾著、インプレスR&D、2017

『世界は贈与でできている』近内悠太著、NewsPicksパブリッシング、2020

世界を変える魔法

「コミュニケーション能力とは何か」内田樹の研究室
http://blog.tatsuru.com/2013/12/29_1149.html(参照2023.1.2)

『被抑圧者の教育学 50周年記念版』パウロ・フレイレ著、三砂ちづる訳、亜紀書房、2018

螺旋に連なる小さな弧

「Falser Words Were Never Spoken」Brian Morton, NY Times, Aug 29 2011.
https://www.nytimes.com/2011/08/30/opinion/falser-words-were-never-spoken.html(参照2023.1.2)

「ムハマド・ユヌス博士からのメッセージ『人生を2つのフェーズに分け、3つのゼロを実現せよ』」
フェリックス清香(取材・構成)、Biz/Zine https://bizzine.jp/article/detail/2707(参照2023.1.2)

「ムハマド・ユヌス博士と社会起業家たちとの対話『アイデアは大きく、スタートは小さく』」
フェリックス清香(取材・構成)、Biz/Zine https://bizzine.jp/article/detail/2708(参照2023.1.2)

『生き方上手』日野原重明著、ユーリーグ、2001

ライフロング・アンラーニング

『テクニウム』ケヴィン・ケリー著、服部桂訳、みすず書房、2014

後世への最大遺物

『突破するデザイン』ロベルト・ベルガンティ著、八重樫文、安西洋之監訳、立命館大学経営学部DML訳、2017

『後世への最大遺物 デンマルク国の話』内村鑑三著、岩波文庫、2011

おわりに

「The Story of B」DanielQuinn, Bantam, 1996.

TALK ABOUT ILLUSTRATIONS

挿絵をめぐる冒険

「学校に行ってあたりまえ」と思考停止している大人こそ、その考えを変えていこうという泰蔵さんのメッセージに、僕は心が動きました。だから僕も、この世界にはいろんな学びがあるということを、挿絵を通して読者のみなさんに伝えたいと考えました。

僕は子どもの頃から音楽が好きで、絵を描いているあいだは曲の世界に入り込みます。この感覚が好きで、音楽を聞くために絵を描いていると言ってもいいかもしれません。だから、この本の中に「音楽」を忍ばせたら楽しそうだというアイデアが自然に湧いてきました。

たとえばジャン＝ジャック・ルソーにはミュージシャンとしてはじめて「ノーベル文学賞」を与えられたボブ・ディランを重ねました。受賞スピーチでディランは「歌は文学とは違う」と断ったうえで、彼の書く詞に書物の影響があると述べました。ディランの歌詞には物語があると僕も感じています。だから教育のため人生をかけて言葉を紡ぎつづけたルソーと重なったのかもしれません。ほかにも僕が大好きなアートや様々な音楽家を潜ませました。アートや音楽シーンを創ってきた偉大な人たち、尊敬する人たちを選んだつもりです。みなさんが曲を聞いたりアートに興味を抱くきっかけになったらいいなと妄想しています。

登場人物に現代のアーティストのイメージを重ねたのにはもうひとつ理由があります。本書では、過去の偉人が泰蔵さんと語り合っています。しかし、現実世界には油絵の肖像画しか残っていません。どんな表情・声・身振りで話していたのか想像するしかないわけです。そこで実際に歌ったり踊ったりする現代のミュージシャンの姿を重ねて人間としての偉人を描きたいと考えました。たとえば「神に祈りを捧げるように天を仰ぎながら」語るコメニウスは「ジギー・スターダスト」のデビッド・ボウイのイメージがピッタリでした。

僕は今、絵を描くという大好きな仕事をしていますが、数年前までは「両親を安心させることが第一」と考えて就職し、会社員として働いていました。その仕事にもやりがいはありましたが、いつか絵描きとして活躍したいと、心のどこかで感じていました。この本に10代で出合っていたら、もっと早くに自分の想いに気づけたかもしれません。

ふと聞こえてきたメロディーや本の挿絵が、大切なものに出合うきっかけになることもあります。僕の「挿絵をめぐる冒険」もまた、みなさんと交わることがあればうれしく思います。

あけたらしろめ
イラストレーター

1988年生まれ。モノクロ画家・デザイナー・2児の父。2011年多摩美術大学プロダクトデザイン専攻卒。音響機器メーカーで製品デザインを担当する傍ら、シロとメロという双子のキャラクターをモチーフにした作品で2013年から作家活動をはじめる。2018年にイラストレーターとして独立。オープンスペースあけたらしろめのアトリエを運営。2020年より札幌に拠点を移し、ドローイング、アニメーション、漫画、シルクスクリーン等の作品制作を行う。夢は美術館をつくること。

著者　**孫泰蔵**

連続起業家
1996年、大学在学中に起業して以来、一貫してインターネット関連のテック・スタートアップの立ち上げに従事。2009年に「アジアにシリコンバレーのようなスタートアップのエコシステムをつくる」というビジョンを掲げ、スタートアップ・アクセラレーターであるMOVIDA JAPANを創業。2014年にはソーシャル・インパクトの創出を使命とするMistletoeをスタートさせ、世界の社会課題を解決しうるスタートアップの支援を通じて後進起業家の育成とエコシステムの発展に尽力。そして2016年、子どもに創造的な学びの環境を提供するグローバル・コミュニティであるVIVITAを創業し、良い未来をつくり出すための社会的なミッションを持つ事業を手がけるなど、その活動は多岐にわたり広がりを見せている。

カバー絵　**コミックス・ウェーブ・フィルム**

三木陽子
ディレクション
劇場アニメーション『雲のむこう、約束の場所』で新海誠監督作品に初参加以降、『天気の子』『すずめの戸締まり』で助監督を担うなど、新海誠を支えるメインスタッフの一人。大成建設テレビCM「ミャンマー」篇で監督を務め、活動の幅を広げる。

西村貴世
作画
ディズニー作品や新海誠監督作品など劇場アニメーションを中心に活躍するアニメーター。主な参加作品に『こんにちは アン』『ティガー・ムービー プーさんの贈りもの』『秒速5センチメートル』『君の名は。』『すずめの戸締まり』など。

瀧野薫
美術
東京藝術大学卒業。実写映画やアニメーション、ゲームなど多分野で活躍。自主制作の傍ら、『星を追う子ども』以降、『言の葉の庭』『君の名は。』『天気の子』『すずめの戸締まり』などに参加し、新海誠監督作品の美麗な美術を支える。

冒険の書

AI時代のアンラーニング

2023年2月22日　第1版第1刷発行
2023年6月27日　第1版第8刷発行

著者	孫泰蔵
挿絵	あけたらしろめ
発行者	中川ヒロミ
発行	株式会社日経BP
発売	株式会社日経BPマーケティング
	〒105-8308　東京都港区虎ノ門4-3-12
	URL　https://bookplus.nikkei.com
ブックデザイン	小口翔平＋畑中茜＋青山風音（tobufune）
編集	中川ヒロミ
編集協力	岡田寛子
制作	高井愛
印刷・製本	中央精版印刷株式会社

ISBN 978-4-296-00077-7
Printed in Japan　

本書籍に関するお問い合わせ、ご連絡は下記にて承ります。
https://nkbp.jp/booksQA